Zo Speelden Wij

Arthur van den Boogaard

Zo Speelden Wij

Uitgeverij Atlas Contact
Amsterdam/Antwerpen

Omslagontwerp Suzan Beijer
Omslagbeeld FIFA, Getty Images
Foto auteur Merlijn Doomernik
Typografie en illustraties binnenwerk Elgraphic bv, Vlaardingen
Drukkerij Wilco, Amersfoort

ISBN 978 90 450 2754 8
D/2014/0108/731
NUR 480

www.atlascontact.nl

‘Sport is toch dat ene moment en dan juist iets goed doen. Ik vind het leuk naar mensen te kijken die dat ene moment er goed uitpikken.’

(Johan Cruijff in 1986)

‘Bij het terugkijken van wedstrijden leer je het spel van binnen en van buiten.’

(Hoofdpersoon Frank Bascombe in *The Sportswriter* van Richard Ford)

Inhoud

Inleiding 9

1. De Lessen van Darlington (1907) 17
2. Verlos ons van de scheidsrechterlijke dwaling (1924) 37
3. Binnen in het voetbalpaleis (1935) 57
4. Vergeet de bal (1940) 75
5. Op weg naar het einde (1946) 89
6. De brievenschrijver uit Amstelveen (1963) 101
7. Een schoenenwinkel in de grote stad (1969) 115
8. Het zoveelste balcontact van JC (1974) 127
9. De wedstrijd van mijn vader (1978) 143
10. Speelbal van de wind (1983) 159
11. Vliegen zonder vleugels (1988) 169
12. Sleutelback van Oranje. Of een terugkeer naar Beverwijk (2001) 183
13. Stenen in Aveiro (2004) 195
14. Spin de mythe. Of een pleidooi voor de voet van Casillas (2010) 207

Verantwoording 225
Dankwoord 227
Literatuur 231

Inleiding

Voetbal is een sport zonder historisch besef. Sir Alex Ferguson deed deze uitspraak in de laatste jaren van zijn loopbaan als de manager van Manchester United. Hij had alles gewonnen. Hij had meer bereikt dan hij ooit had durven dromen. En toch was de Schotse voetbalmanager vooral benieuwd naar het elftal van morgen, nog steeds hongerig naar weer een nieuwe wedstrijd.

Vrijwel dagelijks, maar zeker wekelijks, wordt deze ridderlijke blik op het voetbalspel verwoord in een bondige soundbite, uitgesproken door een speler. Ten overstaan van een cameraploeg neemt hij, of zij, rustig de tijd om het nog een keer goed uit te leggen.

'De belangrijkste wedstrijd is de eerstvolgende wedstrijd,' zegt de voetballer. En hoewel iedereen dit al veel en veel en veel vaker heeft gehoord, klinkt het toch steeds weer als iets belangrijks. De reden is het hoopvolle dat erin doorklinkt. Te ver vooruitkijken heeft geen zin. En met terugkijken win je niet alsnog. Maar in de eerstvolgende wedstrijd ligt altijd weer de hoop op succes opgesloten: herhaald of eindelijk weer eens succes, de hoop is bij de eerstvolgende wedstrijd altijd dezelfde.

Die hoop telt niet meer voor de verloren WK-finale van 2010.

Een maand na deze wedstrijd vertelde bondscoach Bert van Marwijk dat hij deze wedstrijd nog niet had teruggezien. Hij was er nog niet aan toegekomen en had er ook gewoon niet zoveel zin in. Weer enkele maanden later bekeek hij op verzoek van enkele journalisten de finale wel weer opnieuw. En ineens vielen de bondscoach allerlei zaken op.

De destijds ervaren emoties, waarvan hij dacht dat ze een wezenlijk onderdeel uitmaakten van het duel, werden vervangen door concrete wedstrijdbeelden. Momenten die je desgewenst nog zo'n veertig keer kon bekijken om ze vervolgens op hun specifieke 'waarde voor het voetbalspel' te schatten: wat dat ook precies moge betekenen. In elk geval werden eerdere conclusies over de door Spanje met 1-0 van Nederland gewonnen WK-finale door Van Marwijk bijgesteld.

'Dat we verdiend hebben verloren heb ik zelf gezegd,' zei hij. 'Maar daar moet ik op terugkomen. Het verschil was zo groot niet.'

Of deze invulling van de wedstrijd inderdaad klopt is niet met zekerheid te zeggen. Al is het voor iedereen die de WK-finale van 2010 nog niet heeft teruggekeken, raadzaam dit vooral wel te doen. En dat advies geldt eigenlijk voor alle wedstrijden van het Nederlands elftal. Tenminste, als je wilt weten hoe wij door de jaren heen speelden.

'Verrek, dat mocht toen nog.' Zittend in de wedstrijdbesprekingskamer op De Toekomst, het trainingscomplex van Ajax, keek de negenenveertigjarige (spitsen)trainer John Bosman naar het Nederlandse openingsduel van het EK 1988 in West-Duitsland. De tegenstander was de Sovjet-Unie en centraal in de spits bij Nederland stond Bosman. Naast de gedrevenheid van vooral Frank Rijkaard viel hem op dat er verrassend vaak werd teruggespeeld op de keeper, waarna deze de bal in de handen pakte. Die regel was Bosman helemaal vergeten.

'Terugspelen op de keeper mocht inderdaad nog gewoon,' zei hij. 'Als je dat deed in een moeilijke spelsituatie kreeg je zelfs applaus van het publiek. Rust brengen met een bal op de keeper heette dat toen.'

Spelregelgoeroes en speelstijlhistorici herkennen de uitleg van Bosman, maar delen niet zijn verbazing. Zij weten precies welke voetbalregel wanneer en waarom werd aangepast. En vooral de historici kunnen dan ook vertellen wat de uiteindelijke gevolgen waren van de aanpassingen van de regels. Zoals vaker het geval is, geldt ook bij voetbal dat de meest wezenlijke veranderingen zich vrij onopgemerkt voordoen. Het afschaffen van de terugspeelbal naar de keeper in 1992 – feitelijk een aanpassing van spelregel 12: terugspelen mocht nog wel, maar het aanraken van de bal door de keeper met zijn handen werd voortaan als unfair gezien en was daarmee verboden – had als achterliggende reden het vele tijdrekken gedurende de laatst gespeelde WK in Italië in 1990. De FIFA ontnam verdedigende teams de mogelijkheid om met het voortdurend terugspelen van de bal kostbare tijd te winnen.

De gevolgen van de regelverandering waren veel groter. Zo werd ineens het meevoetballen van de doelverdediger een belangrijke extra kwaliteit. Tijdens keeperstrainingen werd voortaan ook het aannemen, passen en trappen getraind. Beginnend in het jeugdvoetbal, verdween langzaam de doelman die enkel goed was met zijn handen. Verder had de aanpassing ook gevolgen voor de gehanteerde speelwijze. Doordat de keeper de bal niet meer in zijn handen mocht nemen werd het aantrekkelijker te proberen de tegenstander al op zijn eigen helft de bal af te pakken. Terugspelen naar de keeper bracht immers niet langer rust, maar veroorzaakte onrust. In voetbaljargon betekende dat: 'meer druk naar voren zetten', of 'vroeger de verdedigers afjagen'.

Los van deze specifieke en mogelijk voor een voetballeek wat te specialistische invulling maakt de verbazing van Bosman wel duidelijk dat voor wie het wil het terugkijken van hele wedstrijden de mogelijkheid biedt om inzicht te krijgen in de ontwikkeling van het voetbalspel.

Hoe vanzelfsprekend het vroeger was om te spelen met een vijfmans voorhoede. En hoe logisch het nu kan zijn om juist zonder een specifieke spits te spelen. Met een blik op het verleden is het mogelijk verbanden hiertussen te duiden en grip te krijgen op de ontwikkeling van voetbal. Dat het spel steeds sneller wordt gespeeld, met meer nadruk op de fysieke gesteldheid van spelers en met kleinere ruimtes op het veld, is bekend. Maar interessant is het om de wedstrijden van toen en de wedstrijden van nu niet als appels en peren te beschouwen, maar beide als schakels in een langere ontwikkeling.

Zo constateerde Kees Rijvers, oud-international en voormalige bondscoach van het Nederlands elftal, in augustus 1988 dat de speelwijze van Nederland tijdens het Europees kampioenschap dat jaar en het spel dat hij in zijn jeugd in de jaren dertig zag bij NAC uit Breda, verrassend veel overeenkomsten had. De opstellingen waren compleet anders – 2-3-5 toen, en 4-4-2 in 1988 – maar de uitvoering op het veld verschilde niet zo veel. Middenvelders verdedigden mee. Spitsen lieten zich terugvallen. En de spelbepaler had ook toen een vrije rol, betoogde Rijvers. 'Het voetbal van 1938 is dus in zekere zin te vergelijken met dat van 1988.'

Toch constateerde hij in het interview in weekblad *Voetbal International* ook twee grote verschillen. In zijn tijd, de jaren veertig en vijftig, kwam je pas op latere leeftijd tot bloei. In de jaren tachtig van de vorige eeuw waren eenentwintigjarige voetballers al topspelers. Verder was het aanbod van wedstrijden onvergelijkbaar met zijn jaren als actieve voetballer.

'De huidige generatie heeft 't voordeel dat ze veel topvoetbal op tv zien,' zei Rijvers. 'Ze kunnen ook vaak persoonlijk topwedstrijden bezoeken. Dat is ontzettend leerzaam. In mijn tijd kon ik Kick Smit maar zelden persoonlijk zien voetballen.'

Goed voorbeeld doet goed volgen; juist ook op het voetbalveld.

Maar in dit geval is de opmerking van Rijvers relevant vanwege de verwijzing naar de invloed van de televisie op de ontwikkeling van het voetbalspel. Aanvankelijk was deze invloed beperkt. Jarenlang werden wedstrijden pas uitgezonden op de Nederlandse televisie wanneer het stadion was uitverkocht. De relatie tussen voetbal en televisie betrof vooral het geld.

En toen was er ineens de herhaling.

Wanneer precies voor het eerst op de Nederlandse televisie tijdens een voetbalwedstrijd gebruik werd gemaakt van de herhalingsmachine is onbekend, maar het moet ergens eind jaren zestig zijn geweest. Het eerste gebruik in een livewedstrijd op Nederlandse televisie was de Europacupfinale van 1972 tussen Ajax en Inter Milan in de Rotterdamse Kuip. En ook hier bleken de gevolgen groter dan aanvankelijk gedacht.

Inmiddels zijn er generaties van fervente voetballiefhebbers die nog nooit één wedstrijd in een stadion hebben bezocht. Goed beschouwd houden zij dus eigenlijk van televisievoetbal. Dit is een variant op het echte spel met als voornaamste kenmerk dat jouw blik wordt bepaald door de (televisie)regisseur van dienst. Als wisselgeld voor deze overgave krijg je de herhaling. Misschien klinkt dit hoogdravend, maar de overwinning van televisievoetbal op het daadwerkelijke spel in het stadion was onontkoombaar met de komst van de herhaling.

Dit boek, *Zo Speelden Wij* (*zsw*), bestaat uit reconstructies van veertien wedstrijden van het Nederlands elftal. De keuze voor specifiek deze wedstrijden is willekeurig noch compleet. Het is een particuliere keuze die hopelijk wordt gerechtvaardigd met de verhalen. Maar wie compleetheid verwacht oogst een zekere teleurstelling. *zsw* is geen boek met alle belangrijke interlands van Nederland. *zsw* is zelfs geen boek met een selectie van deze interlands. Het is hoogstens een boek met enkele tot de verbeelding sprekende interlands. Want *Zo Speelden Wij* is vooral een pleidooi voor de verbeelding.

Verder is *Zo Speelden Wij* mijn poging om de lezer een bepaalde blik op het voetbalspel te bieden. Een blik die het mogelijk maakt een wedstrijd te bekijken zonder de specifieke emoties die altijd weer bij een liveverslag horen. Een blik die voetbal als een spel in ontwikkeling ziet, waarbij de spelers en trainers van nu op de schouders staan van de spelers en trainers van toen. Een blik dus met historisch bewustzijn, maar zonder nostalgie, want het is te allen tijde ook een onderzoekende blik.

'Ik ben het niet eens met jouw theorie,' zei Michel Valke zittend achter de computer in zijn kantoor op Varkenoord, het trainingscomplex van Feyenoord. De zeventienvoudig international en oud-speler van onder meer Sparta, Feyenoord en PSV is sinds

2006 als voetbal-videoanalist, een van de pioniers van dit nieuwe vakgebied. Met zijn achtergrond als topvoetballer is hij een zeer geschikt persoon om te oordelen over de invloed van het bekijken door jonge voetballers van trainingsbeelden van zichzelf.

'Jezelf zien stimuleert het nemen van je verantwoordelijkheid en maakt het eenvoudiger om consequent te werken aan het verbeteren van jouw specifieke fouten,' zei Valke ook. 'Het grootste verschil tussen mijn generatie en de voetballers van nu is het straatvoetbal. Dat was een spel zonder vaststaande regels, waarbij meer van je eigen creativiteit werd gevraagd. Je moest het allemaal zelf uitzoeken. Bij Feyenoord proberen we die verantwoordelijkheid te benadrukken. Videoanalyse is een instrument om spelers te laten zien wat ze goed en fout doen. Maar het is niet bedoeld om hun keuze te beperken, juist niet.'

De door Michel Valke betwiste theorie bestaat uit een viertal voorwaarden (a, b, c, d) en een door mij geformuleerde hypothese.

a) Een onderdeel van leren voetballen is jezelf spiegelen aan een voorbeeld. (Volgens Valke en zijn collega-videoanalist, de zevenentwintigjarige Yori Bosschaart, is dat iets van alle tijden.)
b) Dat voorbeeld kan een bekende (prof)voetballer zijn: een soort idool. (In het geval van Valke zelf was dat vaak Willem van Hanegem.)
c) Dat voorbeeld ben je tegelijkertijd ook zelf: tenminste het beeld dat je van jezelf hebt als voetballer. (Valke bekende dat hij enigszins schrok toen hij zichzelf voor het eerst als prof zag spelen op de televisie. Het beeld dat hij van zichzelf had kwam niet overeen met de nogal vreemde beelden van hem als Sparta-speler bij *Studio Sport*. 'Ik bleek een heel lelijke stijl van lopen te hebben.')
d) Door het consequente gebruik in de jeugdopleiding van tijdens training gefilmde beelden komt het beeld dat je van jezelf hebt steeds beter overeen met hoe je daadwerkelijk voetbalt. (Bij Feyenoord geldt dat voor spelers vanaf hun twaalfde, maar dat is facultatief. Het is bedoeld om spelers te laten wennen hun eigen

prestatie te beoordelen. Vanaf 16 jaar worden dergelijke analyses vaker verplicht gesteld. Het betreft altijd wedstrijdmomenten, nooit hele wedstrijden. Drie zaken vielen Valke op. Allereerst dat aanvankelijk spelers niet graag terugkeken. Ten tweede dat met de jaren steeds meer spelers dat wel doen. Ten derde dat veel spelers hun prestaties vóór het bekijken van de beelden vaak slechter inschatten dan ze in werkelijkheid waren. 'Hé, ik speelde eigenlijk best aardig,' is een vaak gehoorde reactie. Dat laatste gold ook voor trainers. Hun idee van de prestaties van spelers werden ook vaak positief bijgesteld na het zien van de beelden.)

Verbonden aan deze vier zaken is een hypothese met betrekking tot de ontwikkeling van het voetbal. 'Het consequente bekijken van trainingsbeelden van zichzelf door jeugdspelers vergroot uiteindelijk de voorspelbaarheid van hun spel tijdens wedstrijden.'

'Dat zie ik dus in de praktijk niet,' zei Valke. 'Voor ons is de videoanalyse vooral een extra instrument om een speler beter te maken. Mijn ervaring tot nu toe is dat het een uiterst nuttig en effectief instrument is. Videoanalyse maakt voetballers beter. Maar het belang daarvan voor de ontwikkeling van voetballers moet niet worden overdreven.'

Mogelijk is het ook nog te vroeg om te begrijpen wat de effecten zijn van het gebruik van videoanalyse in de jeugdopleiding. In de komende veertien verhalen wordt deze hypothese in elk geval nergens expliciet duidelijk gemaakt. Net zoals ook nergens een concrete vraag wordt gesteld betreffende de ontwikkeling van het voetbalspel. Als er al een antwoord te vinden is op deze hypothese, dan is dat terloops en dus ook vooral te danken aan de verbeeldingskracht van de lezer zelf.

Ooit bevond het voetbalspel zich grotendeels in het rijk der verbeelding. Slechts enkele duizenden bezochten een wedstrijd. De rest volgde het spel via de verhalen: verteld door een ooggetuige, opgeschreven in de kranten of rechtstreeks verslagen via de radio. Met de komst van de televisie heeft het spel zich steeds meer verplaatst naar het rijk van het beeld. Dit boek is een poging van mij om die ontwikkeling te begrijpen en waar mogelijk te duiden. 'Een deel van het plezier van het bezoeken van een wedstrijd is om de volgende dag in de kranten te lezen wat de sportjournalisten denken dat er is gebeurd. Dit plezier wordt verlengd door de wedstrijdbeelden. Deze kan je bekijken om te zien wat daadwerkelijk gebeurde. Datgene wat je je uiteindelijk denkt te herinneren van dat gevecht wordt dan een amalgaam van wat je dacht dat je zag, wat je in de kranten las en wat je zag bij het zien van de beelden.'

Aldus schreef de Amerikaanse journalist en schrijver A.J. Liebling in zijn klassieke boksboek *The Sweet Science. Zo Speelden Wij* is hopelijk een aanvulling op een dergelijk amalgaam van het Nederlands elftal.

Arthur van den Boogaard, juni 2014

1

De Lessen van Darlington

21 december 1907
Darlington, Engeland, aanvang 14.15 uur (Greenwich Time)
Engeland (amateurs) – Nederland 12-2

Hij spreekt als een Nederlander. In zijn blik schuilt de diepe overtuiging van eigen kwaliteit. Even lijkt het alsof wat eerder vandaag gebeurde alweer is vergeten: de verwachtingen, de overrompeling, het tegenstribbelen, de blamage. De aanwezigen in de eetzaal van het King's Head Hotel in het Engelse Darlington weten daarvan. Ze hebben het zelf ondervonden of van buitenaf aanschouwd.

Verdediger Louis Otten van Quick uit Den Haag met wie hij ruim tien minuten lang zo'n ongelukkig backstel vormde.

Halfspeler Karel Heijting van het Haagse H.V.V. die op zijn aandringen de positie van Otten overnam.

Linksmidden Tonny Kessler, ook H.V.V., die met zijn lange en zware lichaam op het door de hevige regenval van de laatste dagen spekgladde veld geen moment zijn normale fysieke spel had kunnen spelen.

Diens clubgenoot, Lo la Chapelle, doelverdediger van dienst en van de zeven debuterende spelers vandaag toch verreweg de meest onfortuinlijke.

Middenvoor Cas Ruffelse, veel te egoïstisch, maar met twee doelpunten juist weer de gelukkigste debutant.

En natuurlijk ook diens clubgenoot bij Sparta, Bok de Korver,

Engeland-Nederland

die als spil zoals altijd kranig hard werkte en met wie hij ook deze keer kundig kort spel had.

Als het Nederlands elftal hebben ze de wedstrijd in het Engelse Darlington anderhalf uur lang moeten ondergaan: zij, hij en de overige vier herenspelers die, passend bij het vertrouwde piramidesysteem van 2-3-5, de voorhoede complementeerden: de vleugelmannen Iman Dozy en Caius Welcker en de binnenspelers Jan Thomée en Edu Snethlage.

Verder kennen ook de meegereisde officials van de Nationale Voetbal Bond, de NVB, het spelverloop. Commissaris De Haan, tweede voorzitter en elftalleider Carl Hirschman, de aanwezige leden van de voor selectie van spelers verantwoordelijke Nederlandsch Elftal Commissie, de NEC, de heren Bill Dijxhoorn, Gijs

Jannink en Jan van den Berg: ze hebben het allemaal gezien. En met hen keken de journalisten, de scribenten van dag- en weekbladen, die ook nu weer nadrukkelijk aanwezig zijn bij dit door de Engelse voetbalbond aangeboden afsluitende *banquet.*

Het is pas luttele uren geleden, veel te kort om nu al alle wedstrijddetails te zijn vergeten. De complete mistrap van doelverdediger La Chapelle toen de bal nauwelijks tien seconden na de kick-off van de Engelsen al voor zijn voeten kwam en waarna deze achter de rug van de keeper in het heiligdom verdween. Het tweede, derde en vierde Engelse doelpunt die al na tien minuten waren gemaakt. De eerste hoekschop voor Nederland, toegekend in de 44ste minuut, die de opmaat werd tot de geredde vaderlandse eer: 5-1, tevens de ruststand. Het gemak waarmee de Engelsen na de rusttijd in minder dan vijftien minuten wederom vier keer wisten te doelpunten. Hoe, met nog bijna een kwartier te gaan, ook het tiende punt door Engeland op het scorebord werd gezet. En hoe vervolgens in halve duisternis de wedstrijd was uitgespeeld. Het was een oorwassing van jewelste geweest, die ze allen niet licht zouden vergeten. En toch, terwijl hij daar nu zo staat, licht voorovergebogen, beide handen steunend op de lange eettafel, lijkt dit allemaal nooit te zijn gebeurd. Er is gevoetbald. Er is verloren. Er is zelfs dik verloren. Maar de gespeelde wedstrijd is inmiddels overgoten met goedpraterij, vaderlandse sentimenten en zelfgekozen of elders gevonden stokpaarden. Ook hij doet daar vrolijk aan mee: zoals na hem zoveel anderen – spelers, trainers, burgers en buitenlui – juist daaraan zoveel plezier zullen beleven. Ook hij verkiest woorden boven het patroon van voldongen feiten: de taal boven het gespeelde spel. Ook hij laat zich graag meeslepen in het geconstrueerde verhaal over wat er zojuist is gebeurd. Ook hij dus.

Wie hij is? Ben Stom. Geboren als Bertus Martinus Stom op 13 oktober 1886 te Apeldoorn. Met clubvoetbal gestart bij Robur et Velocitas. Groot gegroeid als speler bij de militaire Cadetten Voetbal Vereniging Velocitas in Breda. Het leger past bij hem. Na de vooropleiding in Alkmaar is hij toegelaten op de Koninklijke Militaire Academie te Breda. Deze officiersopleiding heeft hem opgeleid tot luitenant met als doel plaatsing in Nederlands-Indië.

Allemaal feiten, toch is het niet specifiek deze Stom die spreekt. Wie spreekt is de aanvoerder van het Nederlands elftal. Hij, Ben Stom – of Jos, zoals zijn voetbalmakkers hem noemen – hij heeft vandaag, 21 december 1907, leiding gegeven aan het elftal internationals die de grootste nederlaag uit de geschiedenis van het Nederlands voetbalteam hebben geleden.

Ooit zal deze wedstrijd gelden als kantelpunt: zullen sporthistorici wijzen op het belang van het grote verlies. Hoe geleerd werd van de Lessen van Darlington. Hoe veelvuldig en nadrukkelijk de uitspraak van de Engelse official Hughes – nauwelijks een halfuur geleden gedaan – hoe vaak juist deze uitspraak werd aangehaald als oplossing voor het vaak te opportunistische en onsamenhangende spel van Nederland: 'De halfspelers vergaten dat ze niet alleen de eerste linie van de verdediging zijn, maar tevens de tweede linie van de aanval.'

De door historici gereconstrueerde 'Darlingtonse Les' zal luiden dat 'middenlinies wedstrijden winnen'. Minder de hoge, lange bal spelen van de zogenaamde *longpassing*, en meer de bal op drijven en waar mogelijk met combinatievoetbal, het *driehoekspel*, de aanval zoeken. Een spelstijl die – zoals de Engelse aanvoerder Vivian Woodward straks uitvoerig zal gaan beweren – eigenlijk verdraaid goed past bij de zo van zichzelf overtuigde Nederlander. Als hij tenminste wenst te trainen: op de techniek, op het correct inspelen van een nevenman, op consequent samenspel.

Stom weet niet van het historische kantelpunt. Stom kan dat ook niet weten. En toch spreekt hij, de aanvoerder van het Nederlands elftal, precies de woorden die op dit moment gesproken dienen te worden. Het zijn Engelse woorden; als een goede gast spreekt Stom de taal van de gastheer. Maar het is vooral de Nederlander in hem die spreekt.

'*Thank you,*' zegt Stom. Hij dankt eerdere sprekers voor hun woorden. Hij dankt hen specifiek voor de goede raad zich nimmer door een zware nederlaag te laten ontmoedigen. En hij dankt het gehele amateurelftal van Engeland voor hun vriendschappelijkheid in en buiten het speelveld.

'*Thank you, England,*' zegt Stom tegen de grondleggers van het moderne voetbal. 'Heel veel dank voor alles.'

I

Wat doet híj nou? De ruim achthonderd, voornamelijk Belgische toeschouwers in het stadion van Beerschot in Antwerpen kijken al de hele middag hun ogen uit, maar wat er nu gebeurt?

In hun allereerste officiële interland heeft het Nederlands elftal bij voortduren gedomineerd. Alleen door het sterke optreden van de Belgische keeper Eric Thornton is het slechts 1-0 voor Nederland, doelpunt Eddy de Neve. De laatste paar minuten nemen de Belgen, ondanks de tegenwind, ineens het initiatief. Kapitein Camille van Hoorden dreef zojuist nog de bal over de middenlijn en poogde zijn voorwaartsen te bereiken met een gestoken bal, een *through pass*. Tevergeefs. Een van de Nederlandse achterspelers onderschepte de bal en speelde deze vervolgens terug op zijn keepende nevenman, Reinier Beeuwkes.

Niets aan de hand.

Leek het.

Want ineens – precies het moment waarop iedereen in het stadion in Antwerpen zich op deze 30ste april 1905 afvraagt wat die technisch vaardige Hollandse verdediger doet – vlak voordat de uitlopende Beeuwkes de bal wil wegschoppen, raakt de Nederlandse achterback het bruine leder nog licht aan. De doelverdediger trapt een gat in de lucht en de bal rolt met 'een trekschuitvaartje' in het lege doel. De Hollandse maagdelijkheid in het internationale voetbal heeft precies tachtig minuten geduurd. Voor het eerst in de geschiedenis heeft het Nederlands elftal een officieel tegendoelpunt geïncasseerd. De maker: Bertus Martinus Stom.

II

De golvende Noordzee tussen Nederland en Engeland lonkt op donderdag 19 december 1907. Vlak voor vertrek met de Harwichboot Dresden vanuit Hoek van Holland hebben de spelers en officials van het Nederlands elftal van enkele bestuursleden van Sparta uit Rotterdam een uit witte en rode bloemen samengestelde knoopsgatruiker gekregen. Ook Ben Stom, straks in Darlington voor de eerste keer aanvoerder, heeft er een op zijn jas gestoken. Als enige speelde hij alle interlands tot nu toe; zeven in totaal. Stom is recordinternational en verheugt zich op de wedstrijd tegen de Engelse amateurs. Net zoals hij, zo'n tweeënhalf jaar geleden alweer, zich verheugde op zijn en Nederlands allereerste interland.

Met drie doelpunten van middenvoor Eddy de Neve was die wedstrijd in de verlenging alsnog ruim gewonnen. Na de 1-4 te Antwerpen had Stom veel lof gekregen. Het eigendoelpunt was in de meeste kranten omschreven als 'een misverstand' tussen hem en keeper Beeuwkes. Verder stemde zijn optreden tot veler tevredenheid.

Hijzelf was ook best tevreden geweest. Zijn spel was zoals het spel waarmee hij negen dagen eerder bij het Nederlandse publiek bekend was geworden in een wedstrijd van het Bondselftal. Dit team, door de NVB vanaf 1894 enkele malen per jaar samengesteld voor duels tegen internationale teams, gold inmiddels als voorloper van het officiële Nederlands elftal. Ondanks de nodige scepsis bij enige perslui over zijn kwaliteiten als relatief kleine en pas achttienjarige verdediger uit Breda was hij op Goede Vrijdag 21 april 1905 een van de elf uitverkorenen geweest die op het veld van het Haagse H.V.V. speelden tegen de Engelse ploeg London Caledonians.

Ruim zevenduizend toeschouwers waren direct getuige van het debuut van Stom en nadien, indirect, nog eens een veelvoud aan overige geïnteresseerden door alle verhalen in kranten en sportbladen. Hen vielen vooral zijn technische capaciteiten op. Bij het zuiveren van terrein, het verdedigen, koos hij nimmer voor de vervelende benenstokschopperij, maar trachtte hij op faire wijze de tegenstander de bal af te nemen. Waar andere backs bij de opbouw veelal kozen voor een *longshot*, zocht Stom dan juist de hulp van een nevenman. Met drichoekspel de halfbacklinie en de voorhoede bereiken: zo was hij dat gewend bij zijn Bredase club Velocitas, dus zo deed hij het ook op die Goede Vrijdag van 1905.

In de rust van de uiteindelijk met 3-2 verloren wedstrijd tegen de Londense ploeg had aanvoerder Van Waveren hem een speciaal compliment gemaakt. Deze verdediger van HFC uit Haarlem was onder de indruk van het gemak waarmee debutant Stom met beide benen trapte. Hij onderging deze lofbetuiging als vanzelfsprekend. Links of rechts kicken was hem van jongs af aan al eender. Door die veelzijdigheid was hij nadien in het Nederlands elftal wisselend aan de linker- en rechterkant in de verdediging opgesteld. Veel verschil maakte dat niet; de afgelopen jaren behoorde hij met zijn felle achterspel telkens tot de uitblinkers. Zelfs na de fikse 5-0 uitnederlaag tegen België in 1906 was hij geprezen als uitmuntend verdediger én als verrassende helper in de aanval. En onlangs had Chris Groothoff, scheidsrechter, groot kenner van de voetbaltactiek en hoofdredacteur bij *Het Sportblad*, hem zomaar vergeleken met Jules van der Linden, de technisch vernuftige verdediger van het Amsterdamse RAP en volgens de verhalen een van de supercracks van de jaren negentig. Dat was toch niet mis.

Hangend over de reling op het buitendek van de Harwich-boot Dresden zuigt Stom de longen langzaam vol. Niet te diep, anders gaat hij kuchen. En kuchen leidt zomaar tot overgeven. En overgeven heeft hij al genoeg gedaan. Hij mag zich dan sinds kort officier noemen, afgestudeerd aan de Koninklijke Militaire Academie te Breda, talent voor varen heeft hij niet, nooit gehad ook. Vrij snel nadat de Dresden de haven van Hoek van Holland verruilde voor open zee, had Stom de buitenlucht opgezocht. Teamgenoten spraken van een nogal groenig gezicht. Groenig was ook het goedje dat vervolgens bij tijd en wijle uit zijn mond spoot.

Na enkele uren was het wel wat beter gegaan. Stom had zelfs geslapen, hoewel maar kort. De slaaphut was te benauwend. Zweetluchten van teamgenoten dreven hem naar het buitendek. Je voelt de golfslag daar het hevigst, maar de lucht is in elk geval fris.

Zachtjes ademt hij in. En net zo geconcentreerd ademt hij weer uit.

In aanloop naar het duel in Darlington was er ineens weer kritiek. Stom zou voor een verdediger te veel de neiging hebben naar voren te spelen. Zowel leden van de NEC als enkele persluі spraken hem daar vroeger al op aan. Maar rond de proefwedstrijd afgelopen zondag tegen De Zwaluwen, het tevens door de NEC samengestelde sparringteam van sterke nationale spelers, keerde dit verwijt ineens vrij sterk terug in de pers. Journalist Doe Hans van het weekblad *De Sport* en ook Groothoff van *Het Sportblad* hadden de in 4-4 geëindigde oefenwedstrijd bekeken. De laatste schreef dat Stom 'momenten van schitterend spel afwisselde met gevaarlijk opdringen waarbij hij de geheele verdediging in den steek liet'.

Doe Hans had voorafgaande aan de wedstrijd al serieuze vraagtekens gezet bij Stoms selectie. Als argument wees Hans op het 'matig spel van Stom' in het afgelopen seizoen bij zijn nieuwe club HFC in Haarlem op de positie van kanthalf. 'Als middenspeler zouden we ons dan ook beslist moeten verklaren tegen een plaats voor hem in 't Nederlandsch elftal. Hij is nu echter gekozen als achterspeler: hij teert dus nog op z'n ouden roem en hoewel niemand ons zal tegenspreken, dat Stom de officier-speler niet meer is Stom de cadet-speler, willen we hopen, dat hij in Engeland nog te pakken zal krijgen 'n vlaag van z'n ouden vorm.'

Het waren enigszins harde woorden. Onterechte harde woorden. Tegen De Zwaluwen had hij in zijn streven het ongelijk van Doe Hans aan te tonen misschien te geforceerd gespeeld, te gehaast het driehoekspel gezocht. Maar hij had ook als vanouds gretig geduelleerd: bij elke losse bal 'inloopen', zoals Eddy de Neve, zijn oud-ploeggenoot bij Velocitas, dat felle doorjagen noemde. Juist de verrassende snelheid bij het inloopen bracht hem als aanvaller veel succes, beweerde de inmiddels als militair in Nederlands-Indië werkzame De Neve. Verdedigers raakten daardoor in paniek, voelden zich opgejaagd.

Stom vond inloopen om diezelfde reden een belangrijk wapen voor verdedigers. Snel de bal veroveren betekende immers sneller bouwen aan een nieuwe aanval. En in de wedstrijd tegen De Zwaluwen had het, zoals wel vaker, bij veel van zijn teamgenoten juist aan die felheid ontbroken.

Pfffff. Langzaam in. En pfffff, weer langzaam uit. Langzaam in. En pfffff, weer langzaam uit. Gestaag ademen bezweert zijn onrustige maag. Eerder stond Stom hier aan de reling met Bok, de spil van Sparta. De golven van de Noordzee hadden ook vat op hem gekregen. Terwijl bijna al hun nevenmannen de avonduren druk pratend doorbrachten in de scheepsbar betaalden Bok en hij rijkelijk hun tol aan de god van de zee. Het was gek, maar samen kotsen over de reling werkte troostend. Zoals Stom gedurende een wedstrijd ook troost vond in kundig kort spel met Bok. De Spartaan voetbalt met techniek, met vernuft en met overzicht. En ook hij moet niets hebben van benenstokschopperij, zonder daarbij het harde werken te schuwen.

Eigenlijk kan in deze selectie naast Stom zelf alleen Bok de felheid van het inloopen een hele wedstrijd lang opbrengen. Misschien komt het door hun achtergrond. Bok is als zoon van een winkelier net als hij opgegroeid in een middenklasse milieu: ze zijn gewend hard te moeten werken voor een inkomen. Het merendeel van de spelers in het Nederlands elftal kent een betere achtergrond: ondanks de toename van het arbeidersvoetbal, de groeiende populariteit van het spel bij het volk in de laatste jaren, heeft het spel nog steeds een elitaire uitstraling. Jongens als Welcker en Kessler, rechtenstudenten, of Thomée, Snethlage en Otten, alledrie geneeskundestudenten, weten vanaf hun geboorte al dat ze goed terechtkomen. Voor Bok en hem ligt dat anders.

Gelukkig is de Sparta-spil er weer bij. Na een verloren homematch tegen België op 13 mei 1906 was er de nodige discussie ontstaan. De NEC besloot in al haar wijsheid voor de volgende wedstrijd acht nieuwe spelers te selecteren. Drie wedstrijden lang was Bok vervangen door Willem Janssen, spil van Prinses Wilhelmina uit Enschede. Geen slechte voetballer trouwens, die Janssen, maar de terugkeer van Bok als centrale figuur in het Nederlands elftal stemt Stom optimistisch. Met wederom zeven debutanten is zijn ervaring zeer welkom.

En pfffff. Langzaam weer in. En pfffff, langzaam weer uit. Het geconcentreerde ademen brengt hem verlichting. De vrijdagochtend is al enige uren gevorderd. De boottocht zal niet al te lang meer duren.

'Gaat het een beetje, Jos?' Nevenman Karel Heijting, van Indische afkomst, militair en kanthalf bij H.V.V., is het buitendek opgelopen en legt zijn hand op de schouder van Stom. De kapitein van het Nederlands elftal knikt.

'Weet je, Karel,' zegt Stom. 'Ik denk dat wij morgen ook goed zullen spelen. Een verliespartij is wel zeker, maar een grotere nederlaag dan 6-1 verwacht ik toch niet.'

III

Daags voor de wedstrijd op zaterdag 21 december 1907 zag de Engelse voetbalverslaggever van *The Northern Echo* een tweetal heren door Darlington kuieren. Hij herkende hen direct als de twee W's: Wall en Walker, respectievelijk de president van de Engelse voetbalbond en de manager van het Engelse voetbalelftal der amateurspelers. Hij vroeg hun de teams van Nederland en Engeland eens te vergelijken.

'Als er al sprake is van een verschil,' zei Wall. 'Dan is het dat de Engelsen beter vertrouwd zijn met de details van het voetbalspel.'

De heer Walker naast hem knikte en zei: 'Dat is het wel zo'n beetje ja.'

'Verleden jaar heb ik enkele wedstrijden van het Nederlands elftal bijgewoond,' zei Wall. 'En het spel was uitstekend en belangwekkend.'

Wederom knikte Walker, waarna de verslaggever tevreden en op een drafje naar het redactielokaal was gegaan. Aldaar verwerkte hij de analyse in een artikel, waarin ook de Nederlands elftalleider Hirschman aan het woord kwam. En precies deze elftalleider vertelde NVB-official en lid van de NEC Jan van den Berg over de woorden van Wall & Walker, waarna Van den Berg als grensrechter van dienst plotsklaps een licht optimistische stemming had gekregen.

Dat voorgevoel was nog weer versterkt door de opmerking die de Engelse voorhoedespeler, kapitein en absolute vedette Vivian Woodward maakte.

'Is het waar dat het Nederlandse team uit louter reuzen bestaat,' had hij gezegd.

Het was grappig bedoeld, dat begreep Van den Berg wel, maar de specifieke verwijzing naar de lengte van de Nederlanders had vast ook te maken met de thuiswedstrijd, eerder dat jaar in april. Als binnenspeler van Tottenham Hotspur uit Londen kwam Woodward vanaf 1903 al geregeld uit voor het nationale team van Engeland. Voetbal werd steeds populairder, met een bataljon aan spelers van hoge kwaliteit als gevolg. Om deze groeiende groep een plek te bieden in een vertegenwoordigend elftal werd een extra nationaal team opgericht: het Engelse amateurelftal. Juist de herenspelers, de cracks van goede komaf, vonden hier hun plek.

Op 1 november 1906 versloeg dit team in zijn eerste wedstrijd het Franse nationale elftal met 15-0. Vervolgens was 2-1 gewonnen van Ierland, waarna de Engelse amateurs naar Den Haag waren afgereisd om op het veld van H.V.V. tegen Nederland te spelen.

En daar maakten de Nederlanders indruk op kapitein Woodward door geconcentreerd te verdedigen. Een enkeling viel ook nog op door de lange gestalte. Daarbij was de einduitslag van 8-1 voor de Engelsen, ook door twee eigen doelpunten van de Nederlandse kapitein John Heijning, enigszins geflatteerd. Koningspits Woodward kaartte dat tijdens het banket na afloop zelf aan.

'Is het waar dat het Nederlandse team uit louter reuzen bestaat?' Van den Berg glimlacht opnieuw als hij aan de olijke vraag denkt. Maar meer nog lacht hij om het in zijn hoofd ontstane beeld: een beeld van een sterk en reusachtig Nederlands elftal.

En waarom ook niet? Waarom kon Nederland niet meer dan één schamel doelpunt fokken tegen de Engelsen? Waarom konden Thomée, Ruffelse en Snethlage als voorhoedemannen hun fullbacks niet eens verrassen? Kon keeper La Chapelle zijn heiligdom in Darlington niet met verve verdedigen? Kon het beoogde backstel, Stom en Otten, niet als Hollandse leeuwen vechten voor elke groene spriet voetbalgras? Waarom kon het spel der Nederlanders juist deze match niet belangwekkend én reusachtig zijn?

Omdat de meeste Nederlandse spelers met knikkende knieën van de zenuwen aan deze wedstrijd zijn begonnen. Omdat zo'n gemoedstoestand dan weinig verweer biedt aan het met wiskundige juistheid gespeelde keurige combinatiespel der Engelsen. Omdat een snelle achterstand van vier doelpunten zo'n aanslag is op de motivatie waardoor te vaak de longpassing richting voorhoede wordt verkozen boven kort spel via de halfbacklinie. Omdat op het spekgladde veld de kleinere Engelsen danig in het voordeel zijn. Omdat de Nederlandse voorhoedemannen wel snel en vlijtig zijn, maar te weinig gretig gericht op het maken van doelpunten. Omdat La Chapelle toch echt een betere cricketer is dan doelman. (Wedden dat hij nooit meer door de NEC wordt geselecteerd!) Omdat de Engelse doelman Brebner wél degelijk keept. Omdat in het moderne voetbalspel 'vertrouwd zijn met de details' allesbeslissend is. Omdat. Omdat. Omdat.

Terwijl de 85ste minuut van de wedstrijd inmiddels loopt kan grensrechter Van den Berg honderd redenen verzinnen waarom dit Nederlands elftal niet reusachtig is. De stand is 12-1. Nog zeker vijf minuten te spelen. Zijn optimisme heeft al ruim een uur geleden plaatsgemaakt voor realisme. Realisme over de klasse van

Woodward, over het egoïsme van midvoor Ruffelse, over de falende linkerkant van Nederland, over de blunderende La Chapelle, over het gebrek aan beweging bij balbezit van de meeste Nederlandse spelers, en over het *sportsmanlike* spel van de Engelsen: altijd technisch, nooit ten koste van de tegenstander en zelfs als ze een langere periode ingetogen over het veld manoeuvreren zoveel malen beter dan dat van de Nederlanders.Van den Berg heeft een realisme dat past bij de blik van de aanwezige buitenstaander: nog geen verklarende woorden achteraf, enkel de voortdurende wedstrijd als blikveld.

En zo bezien was misschien het beste Nederlandse moment, naast dat ene punt in de eerste helft natuurlijk, de omzetting van kapitein Stom na tien minuten, bij een stand van 4-0: hij liet de als verdediger volledig falende Otten kanthalf spelen en Kareltje Heijting diens plek als linksback overnemen. Goed beschouwd was Nederland vervolgens de rest van de eerste helft, bijna 35 minuten lang, gelijkwaardig. De uitslag van deze minimatch was 1-1. Niet in de laatste plaats door het goede spel van Stom.

Wat speelt die weer vertrouwd sterk. Misschien biedt de Engelse aanvalskracht alle mogelijkheid te excelleren, maar de kapitein steekt werkelijk in zijn beste internationale vorm. Verdedigend breekt hij aanval op aanval. Ook dringt hij herhaaldelijk mee op naar voren en stelt zo de voorhoede tot aanvallen in staat.

Kijk, daar verovert Stom voor de zoveelste maal de *matchball* met een faire tackle op een Engelsman. Met overzicht passt hij naar linksbinnen Thomée, die de bal met vaart opbrengt naar linksbuiten Dozy. Debutant Dozy drijft vervolgens met belangwekkende snelheid de bal voorwaarts en breekt door de Engelse defensie. Vanaf links *centert* hij een hoekkei, een harde voorzet, die warempel belandt bij de ongedekte midvoor Ruffelse.

Buitenspel! Ondanks het schemerdonker kan Van den Berg dat duidelijk zien. En hoewel het niet op zijn helft geschiedt en het dus niet zijn taak is steekt hij toch zijn zakdoek omhoog. Vrijwel tegelijkertijd gaat ook de hand van zijn Engelse collega de lucht in.

Twee zakdoeken langs de zijlijn: een uitgemaakte zaak. Toch? Vreemd genoeg laat de Ierse scheidsrechter Farrell doorspelen; misschien door gebrekkig zicht vanwege de spoedig invallende duisternis. Met slechts de keeper voor zich hoeft Ruffelse enkel de vrije hoek te vinden. Zonder moeite fokt de midvoor zijn tweede punt. Het is zowaar nog 12-2 geworden. In stilte juicht Van den Berg om deze kleine reuzendaad.

Twee minuten later fluit Farrell voor het einde van de wedstrijd.

IV

'Het Engelse team had nog veel meer punten kunnen zetten in de wedstrijd tegen de Hollanders. Maar men stelde zich uiteindelijk tevreden met een heel dozijn. Het had er verder veel van weg dat de beide doelpunten van Nederland cadeau gegeven werden.'
(Analyse in de Engelse krant *The Observer*)

'Het is een dwaasheid om de zaterdag gespeelde wedstrijd te Darlington van het Engelsche amateurteam serieus te beschouwen. De tegenstanders, de Hollanders, toonden aan het voetbalspel slechts oppervlakkig te kennen. Direct na de aftrap van de wedstrijd die in een 12-2 overwinning eindigde was er sprake van een parodie op de sport. Toch moet het de Hollanders worden nagegeven dat ze kloek volhielden.'
(Analyse in *The Tribune*)

'De wedstrijd te Darlington was een klucht. De Hollandse spelers hadden zeer waarschijnlijk geen enkel puntje gekregen, wanneer zij door de Engelsen niet met genade behandeld waren.'
(Analyse in *The Daily Express*)

Zoals Nederlandse kranten en tijdschriften gewend waren bij internationale wedstrijden, werd ook na de 12-2 nederlaag te Darlington weer gretig geciteerd uit de buitenlandse media. De Engelsen benadrukten het dappere, maar volstrekt onkundige tegenstribbelen van de Nederlanders wat de strijd enigszins kolderiek maakte.

De interpretatie van de Engelse analyses werd in de weken na de match onderwerp van discussie tussen twee in Darlington aanwezige Nederlandse journalisten: Chris Groothoff en Doe Hans.

De eerste vond de einduitslag geflatteerd; de 'koude cijfers' verdienden 'eenige toelichting'. Volgens hem was 'het door ons elftal vertoonde spel te Darlington, ondanks de reusachtige nederlaag een succes voor ons voetbal'. 'Onze voorhoede heeft schitterend gespeeld, onze achterlinie was m.i. beter dan die der Engelschen en het was alleen onze middenlinie die faalde,' schreef Groothoff. Zijn zienswijze onderstreepte hij met een verwijzing naar de woorden van Vivian Woodward tijdens het afsluitende banket in het King's Head Hotel in Darlington. 'Het is mijn stellige overtuiging dat de Hollandse voorhoede gedurende het laatste kwartier vóór de pauze en in het laatste half uur van de gehele strijd sterker was dan onze aanvalslinie,' zei de Engelse aanvoerder. Om vervolgens collega-kapitein Stom tot de beste fullback op het veld uit te roepen.

De suggestie van '*after-dinner*-stemming' wuifde Groothoff weg. Daarvoor achtte hij de Engelsen te goede sportlui. Publicerend in *De Telegraaf* concludeerde hij dat het Nederlands elftal vooral faalde door het natgeregende en daardoor zware en gladde veld. Groothoff dacht dat een uitslag van 7-4 de kwaliteitsverhouding beter weergaf.

7-4!? Maar het was toch 12-2 geworden? Doe Hans had nogal wat moeite met deze redenering. 'Begrijpe, wie 't begrijpen kan,' schreef hij als hoofdredacteur in het geïllustreerde weekblad *De Sport* van 7 januari 1908. 'Niettegenstaande dat falen dus speelde onze voorhoede "schitterend", niettegenstaande dat falen was onze achterhoede "beter dan die der Engelschen" niettegenstaande dat falen was de wedstrijd voor ons een "succes"! Nog eens: begrijpe wie het begrijpen kan. De vraag rijst: als we eens niet hadden "gefaald"...? Wel, dan hadden we minstens van de Engelschen gewonnen.'

Hans beoordeelde de analyses in de Engelse kranten als serieus. Ook hij had gezien dat het tweede doelpunt van Nederland buitenspel was en vermoedde Engels mededogen. De falende middenlinie beschouwde hij als 'een tactiek-gebrek' en tevens als bewijs voor het idee dat de kwaliteiten van de Nederlandse voetballer meer in de aanval dan in de verdediging lagen.

Toen Jan van den Berg in *De Sport* de analyse van Doe Hans las wist hij niet meer zo goed wat hij moest denken. Wat opviel was dat Hans, net als Groothoff van *De Telegraaf*, een falende doelverdediger La Chapelle had gezien en een falende middenlinie constateerde. Daar kon Van den Berg zich wel in vinden. De Lessen van Darlington begonnen zich langzaam te vormen.

V

Hij spreekt als een Nederlander. Wederom neemt Ben Stom als aanvoerder van het Nederlands elftal het woord. Dit keer richt hij zich tot zijn ploeggenoten. Het is iets na negen uur in de avond van zondag 22 december 1907 als hij en de anderen zich opmaken voor een laatste Engels diner in de havenplaats Harwich. Iedereen is moe. De treinreis vanaf Darlington, begonnen om elf uur, duurde de hele dag. Gelukkig zorgde de meegereisde Engelse kapitein Woodward voor wat afleiding. Diens verhalen waren een herhaling van gisteravond. Aan de basiskwaliteiten – technisch vaardig en aanvallende intentie – mankeerde niets. Toch was voor beter Nederlands spel trainen op het correct inspelen van een nevenman en op consequent samenspel noodzakelijk. Ook kennis van de tactiek kon beter. Bij de precieze uitleg van 'de basiskwaliteiten' had Stom instemmend geknikt.

Woodward was in Ely al overgestapt op de trein naar Londen, met in zijn gezelschap een zevental Nederlanders die de kerstdagen gingen doorbrengen in de Engelse hoofdstad. Het maakt de nu luisterende groep kleiner.

Stom schraapt kort de keel. Dan draait hij zijn hoofd in de richting van Carl Hirschman. Het was fantastisch zoals de teammanager alles had geregeld. Het had de spelers aan niets ontbroken. Het eten was goed, de bedden deugdelijk en de treinen reden – hoewel wat traag – op tijd. Het enige dat ontbrak aan deze voetbaltoer waren sportieve lauweren, en daarvoor hadden de spelers tekortgeschoten. Excuses maakt Stom niet, wel wijst hij op de goede raad van Hirschman.

'U wees ons er van te voren nog op,' zegt Stom. 'Waak voor het eerste kwartier mannen, dat is jullie en ons grootste gevaar. En wat gebeurde? Na een kwartier wedstrijd hadden wij al vier gaten in ons heiligdom.'

Aan de reisleider, elftalmanager en vooraanstaand lid van de NEC heeft het niet gelegen. Applaus is zijn deel. Hirschman ontvangt het in alle rust. Als Stom weer zit staat hij op en dankt de spelers voor de hulde. Ook hoopt hij dat de zware nederlaag kan dienen als 'hefboom om onze spelkwaliteit op een hoger niveau te lichten'. Dan richt de leider der toer zich tot de aanvoerder, die als militair officier zeer binnenkort afreist naar Nederlands-Indië.

'Thans nu de match voorbij is die vrijwel zeker uw laatste zal zijn geweest als "internationaal" voetballer,' zegt Hirschman, 'wil ik u danken, in het bijzonder voor alles wat u voor ons en voor het Nederlandsche voetbalspel heeft gedaan.'

Het klappen van zijn ploeggenoten doet Stom voor even vergeten dat hem straks weer de misselijkmakende golven van de Noordzee wachten.

VI

In de jaren nadien bleef Nederland onder Engelse invloed. In aanloop naar de Olympische Spelen van 1908 in Londen werd de Engelse oud-prof en international Edgar Wallace Chadwick aangesteld als oefenmeester van het Nederlands elftal. Voor het eerst kregen de geselecteerde internationals serieuze training.

Naast technische vaardigheden als passen, schieten en koppen achtte Chadwick ook les in tactische kennis noodzakelijk. De 12-2 nederlaag in Darlington had het gebrekkige Nederlandse inzicht blootgelegd. De slecht spelende middenlinie was volgens Chadwick vooral te danken aan verkeerd dekken. De Nederlandse halfspelers hadden de Engelse vleugelmannen verdedigd, met te veel loopwerk als gevolg. Logischer was het afdekken van vleugelmannen door het backstel en de kanthalven verantwoordelijk te maken voor de binnenspelers in de voorhoede. Concreet hadden Kessler en Otten als directe tegenstanders dus Woodward en Bell moeten hebben.

Tactisch en technisch werden de Nederlanders jarenlang door de Engelsman bijgeschoold. En in 1913 geschiedde op Houtrust, het stadion van de Haagse club H.B.S., zomaar ineens een wonder. Met Chadwick als bondstrainer, de NEC als bepalende keuzecommissie en Bok de Korver als Hollands kapitein werd Engeland voor eerst verslagen: 2-1. Het betrof nog steeds het Engelse amateurelftal, maar het resultaat bracht menig voetbalchroniqueur in een jubelstemming.

'Hoera! Hoera! Hoera! Laat ik dat er eerst uitgooien! Het lucht wat op. Ik heb gedanst, gehost, gecancaneerd, gezongen en gejubeld – het wil maar niet stil worden daarbinnen. Maar het is me een dag geweest! De leermeester verslagen, de Engelsen geklopt, roodwitblauw boven, Holland aan de top!' schreef journalist Leo Lauer enkele dagen na de winst in het blad *Revue der Sporten.*

'En na afloop? Geen mens die op de tribunes bleef zitten of staan. Als een lawine stortte het hele publiek zich op het terrein en wierp zich in een kolossale samendans als men van nuchtere Nederlanders nimmer had kunnen verwachten,' schreef ir. Ad van Emmenes in zijn overzichtswerk *Neerlands Voetbalglorie* om uiteindelijk te concluderen: 'Zó bleek de kentering een feit geworden. Op Houtrust stierf, zoals in één van de persverslagen zo typisch werd uitgedrukt, een legende: de legende van Albions onoverwinnelijkheid op het voetbalveld.'

En ook de voetbalkenner en -historicus M.J. Adriani Engels beschreef in zijn overzichtswerk *Voetbalprestaties in Oranjeshirt* zijn eigen ervaringen op die dag. 'Er waren bloemen en tranen en toen ik na twintig minuten worstelen het kleedlokaal bereikt had, zat Woodward daar het hoofd steunend in de handen, die op de knieen leunden. Hij keek me aan, reikte me de hand met een blik, die geen smart wilde verraden, en zei door de smalle spleet van zijn fijne mond: "*the best team won*".'

Koningspits Vivian Woodward, inmiddels 33 jaar, speelde dus nog steeds. Net zoals Bok de Korver nog steeds spil stond. Ben Stom was niet aanwezig. Ondanks de afscheidsrede daags na de Darlingtonse slachtbank speelde hij nog één keer voor het Nederlands elftal, wederom als de kapitein. Op 29 maart 1908 in Antwerpen werd met 4-1 gewonnen van België. Zo won de technische verdediger vier van zijn negen interlands en verloor hij er vijf. Niemand duidde hem dit negatieve saldo euvel.

Voor zijn vertrek als luitenant naar Nederlands-Indië, zes dagen na zijn laatste interland tegen België, werd Stom zelfs uitgebreid gefêteerd. De woorden die hem zijn hele voetballoopbaan al vergezelden – techniek, inzet en groot inzicht – klonken weer uit de monden van collega-voetballers en officials. Ook werd fotomateriaal verzameld van de actieve voetbaljaren van de tweebenige achterback die ooit de Hollandse maagdelijkheid in het internationale voetbal doorbrak met een eigen doelpunt.

Dit alles leidde tot een groots boekwerk met in zilver vastgelegde voetbalprestaties. Voordat Stom dit geschenk in zijn woonplaats Weltevreden op het Indische eiland Java kreeg overhandigd werd het zilveren voetbalboek op verschillende plaatsen in Nederland tentoongesteld. Als dank koos de oud-kapitein van het Nederlands elftal wederom zorgvuldig zijn woorden, ditmaal opgeschreven in een brief aan het huldigingscomité.

'Dit is voor mij een dierbare schat met heerlijke herinneringen uit Hollandsche voetbaldagen. Ik doorleef weer alle momenten van geestdrift, van de wedstrijden waarin we dikwijls als overwinnaars uit het strijdperk traden. Ik hoor weer 't galmen, 't juichen,

’t enthousiaste aanmoedigen en het oorverdovende binnenhalen van hen, die den triomph behaald hebben. Ze zijn voorbij nu, die dagen: ’t zijn herinneringen geworden aan een Paradijs waaruit ik echter nimmer meer verdreven kan worden!’

2

Verlos ons van de scheidsrechterlijke dwaling

6 juni 1924
Parijs, Frankrijk, aanvang 18.00 uur
Halve finale Olympische Spelen in het Stadion Colombes
Uruguay – Nederland 2-1

De arts in opleiding en de student civiele techniek schreeuwen het uit. Hoe is dit in godsnaam mogelijk? Een strafschop! Waarom?

Voor de zoveelste maal in de tweede helft had de Uruguayaanse rechtshalf José Leandro Andrade een Nederlander uitgespeeld: deze keer de meeverdedigende Jan de Natris. Komend vanaf rechts schoot de negervoetballer de bal met een geplaatste boog richting het Nederlandse doelgebied. Een worsteling. Een scrimmage. Een heen-en-weer-gaan van de bal tussen Uruguayaanse kicksen en Nederlandse scheendekkers met als eindstation de hand van Héctor Scarone, de Uruguayaanse rechtsbinnen.

Handjes! Handjes! Duidelijk een handsbal van de Uruguayaan. Maar de Franse scheidsrechter Georges Vallat, al de hele wedstrijd niet bijster best, deed niets. Of toch wel?

De bal stuiterde via de hand van Scarone op de grond. Stuitert nu weer, nog steeds, een woud van voetbalbenen. Het lichaam van spil Evert van Linge, het bovenlichaam van spil Evert van Linge, dan weer een scheendekker. En weg is de bal, weg uit ons doelgebied. Maar Vallat floot. Toch wel dus.

Waaaaat? Een strafschop! Waarom?

Op gepaste afstand, zonder al te veel misbaar, maar met zeer

Uruguay-Nederland

luide stem, vraagt de student civiele techniek te Delft tevens aanvoerder van het Nederlands elftal Harry Dénis aan de Franse scheidsrechter wat hem bezielt. 'Wat is er aan de hand? Waarom geeft hij in godsnaam een strafschop tégen Nederland?'

Vallat gunt Dénis geen blik waardig. Hij loopt richting de achterlijn en gebaart naar de Nederlandse doelman Gejus van der Meulen om in zijn doel te gaan staan. Scarone heeft inmiddels de bal in zijn handen en loopt richting strafschopstip.

Dit kan niet. Dit mag niet. Dit is onrechtvaardig. Harry Dénis kijkt naar de bal op de stip, de rug van de voorovergebukte Scarone. Zijn medeback, arts in opleiding Hans Tetzner, hijgt nog na van het heftig protesteren.

De enige die nu weerstand kan bieden is de vandaag weergaloos spelende Nederlandse doelman. Gejus doe het! Pak deze penalty! Verlos ons van de dwaling van deze Franse scheidsrechter. Anders rest alleen nog het protest: de laatste mogelijkheid van het indienen bij de *jury d'appel* van een officieel protest.

I

'De verrassing van den dag, de verrassing van het heele toernooi is het spel van Uruguay. Het is verbluffend mooi.' Aldus meldde de *Nieuwe Rotterdamsche Courant* in de ochtendeditie van dinsdag 27 mei 1924. Een dag eerder had Uruguay zijn eerste wedstrijd op de Olympische Spelen in Parijs met 7-0 gewonnen van Zuid-Slavië.

Verantwoordelijk voor de beschrijving van het spel van de Zuid-Amerikanen was Albert Hendrik Magdalus Meerum Terwogt, oud-scheidsrechter, sportjournalist en al ruim vijftien jaar als redacteur verbonden aan de NRC. Aangesteld vanwege de groeiende populariteit van sport was Meerum Terwogt een groot voorstander van uitvoerige wedstrijdverslagen. Voor specifiek deze wedstrijd vond hij dat opvallend genoeg 'ongewenscht'. 'Het was een voortdurend overwicht van Uruguay. Thans zijn er maar zeven doelpunten gemaakt: het hadden er evengoed zeventien kunnen zijn. Het was geen wedstrijd, maar een *exhibition*.'

In de avondeditie van de krant kwam de NRC-redacteur uitgebreid terug op het ontbrekende wedstrijdverslag. Hij was de wedstrijd als vanzelfsprekend wel begonnen met het maken van aantekeningen, maar na enkele minuten bleek dat de 'belangwekkende momenten elkaar met zo'n duizelingwekkende snelheid opvolgden', dat alles noteren eenvoudigweg niet te doen was. Daarbij kwam dat Meerum Terwogt moeilijk zijn ogen kon afwenden van het meeslepende spel van de Uruguayanen.

'De heeren doen met den bal wat ze willen, ze passeeren met een merkwaardige zekerheid het leder langs den grond, stoppen den bal in de perfectie, openen het spel wanneer ze dat wenschelijk achten, om er even later op eigen gelegenheid met het leder van door te gaan.'

De kwalificatie 'verbluffend mooi' in de ochtendeditie was in het avondblad al verworden tot de kloeke krantenkop 'Het Zuid-Amerikaansche wonder'. Daarbij plaatste Meerum Terwogt het spel van Uruguay in breder perspectief. 'Wij hebben in den loop der jaren al heel wat voetbal gezien, we zagen de vertegenwoordigende ploegen van de meeste continentale landen aan den arbeid, we zagen sterke beroepselftallen in actie, maar we hebben in die jaren nog geen wedstrijd gezien waarbij het spel van een der partijen op ons zoo'n overweldigenden indruk heeft gemaakt als bij deze ontmoeting in het Stadion te Colombes.'

Ook kon hij het als oud-scheidsrechter en vooraanstaand lid van de internationale scheidsrechterscommissie niet nalaten om in zijn stuk melding te maken van de 'slechtste man van het veld'. 'De scheidsrechter, de Franschman Vallat, die de kromste beslissingen gaf tegen de Zuid-Amerikanen, waarbij het publiek door gefluit krachtig protesteerde. Dan klopt een der Uruguayspelers hem bemoedigend op den schouder, alsof hij zeggen wou: trek er je maar niets van aan, we winnen toch wel en op den duur zult ge het wel leeren.'

De Nederlandse journalist stond niet alleen in zijn oordeel over het spel. Naast bewondering van velen was vanaf dat eerste Olympische duel van Uruguay bij veel voetbalfans ook sprake van verwondering. Het contact op een internationaal toernooi tussen voetballers van het Europese en het Amerikaanse continent werd als opwindend en uiterst verrassend ervaren.

Voorafgaand aan de Spelen in Parijs verbleven de Uruguayanen enige tijd in Spanje. Dat ze daar alle oefenwedstrijden (negen in totaal) wonnen was al een duidelijk teken aan de wand. Maar dat waren slechts uitslagen. De daadwerkelijke aanblik van het spel toonde de revolutie.

'Een revelatie! Dit is het ware voetbal,' schreef de Franse schrijver, essayist en voetballiefhebber Henry de Montherlant na het zien van het Uruguayaanse spel. 'Wat wij kenden, wat wij speelden was hiermee vergeleken niet meer dan een tijdverdrijf voor schooljongens.'

Er liepen in Parijs voldoende critici rond die de afwezigheid van het Engelse team betreurden: de Engelse voetbalbond had het niet nodig gevonden een voetbalteam af te vaardigen naar de Spelen. Maar het was Gabriel Hanot, beginnend journalist bij *L'Equipe* en als voormalig international van Frankrijk kenner van het Engelse voetbal, die ook zonder een directe confrontatie de spelstijlen wist te vergelijken. 'Het is alsof je een Arabische volbloed vergelijkt met een werkpaard.' De Engelsen, de uitvinders van het moderne voetbal, waren in zijn ogen in korte tijd verworden tot eenvoudige werkpaarden.

Deze blik zou vanaf die mei- en junidagen in 1924 door steeds meer voetbalschrijvers, -duiders, -fluisteraars en -historici worden gedeeld. Zo beschreef de Uruguayaanse schrijver Eduardo Galeano het optreden van zijn landgenoten tijdens de Olympische Spelen te Parijs precies 71 jaar later als 'de tweede ontdekking van Amerika'.

'Slechts tweeduizend mensen kwamen naar die eerste wedstrijd kijken. De Uruguayaanse vlag werd ondersteboven, met de zon naar beneden, gehesen en in plaats van het volkslied werd en er een Braziliaanse mars gespeeld. Die middag werd Joegoslavië met 7-0 door Uruguay verslagen. En toen deed zich iets voor als de tweede ontdekking van Amerika. Wedstrijd na wedstrijd stroomden de mensen toe om die mannen te zien die zo snel als een eekhoorn waren en die schaak speelden met de bal. De Engelse school schreef de lange pass en de hoge bal voor, maar deze onbekende, in het verre Zuid-Amerika verwekte zonen deden de vader niet na. Zij gaven er de voorkeur aan een voetbal uit te vinden van korte passes en de bal aan de voet, met flitsende ritmewisselingen en in volle vaart uitgevoerde schijnbewegingen.'

Op papier kwam de opstelling van Uruguay overeen met het vertrouwde Europese piramidesysteem van 2-3-5, maar op het veld bleken de Zuid-Amerikanen een ander spel te spelen. Het was vloeiend en tegelijkertijd een vorm van schaken met de bal.

Bij de Nederlandse pers rezen gedurende het toernooi naast interesse in de herkomst van deze 'mathematische vorm van voetbal' ook vragen over geld. Hoe was het mogelijk dat zo'n grote groep van een twintigtal spelers ruim drie maanden verlof kreeg? Of was er misschien sprake van door de staat gefinancierde goedwillende amateurs? Een enkele journalist wist verder te komen dan dergelijke suggestieve vragen en meldde dat de voetbalbond borg stond. De waarheid was dat de reizen en het verblijf gedurende veertien weken in Europa sober waren en Atilio Narancio, bestuurslid van de nationale voetbalbond, een hypotheek op zijn huis had moeten nemen om de overtocht te kunnen betalen.

Weer ander journalistiek speurwerk maakte duidelijk dat Uruguay al vijfendertig jaar het fenomeen voetbalclubs kende en de spelers veelal eenvoudige beroepen hadden. Zo waren verdedigers Nasazzi en Arispe respectievelijk marmerzager en vleesarbeider. Midvoor Petrone was groenteboer, linksbinnen Cea bezorgde ijsblokken aan huis. En de absolute ster, de negervoetballer Andrade, was pianostemmer. Verder herbergde de selectie verschillende ambtenaren en was reservedoelman Leonidas Chiappara architect en soms ook journalist.

Een journalist van het Franse blad *L'Auto*, die toegang kreeg tot het trainingskamp van Uruguay, groef nog dieper naar de achtergrond van de spelers en zocht naar verklaringen voor hun opvatting van 'voetbal als kunst' en hun spel van 'handigheid en beslistheid'. 'Zij hebben die eigenschappen van de Baskische Franschen, waarvan er eenige in de ploeg spelen – Yaldombide, Arispe – en van de Baskische Spanjaarden – Uriate en Urdinarán. Aan die eigenschappen hebben de spelers van Italiaanse afkomst – Petrone en Scarone – hun geestdrift en de Spanjaarden hun lichaams- en wilskracht toegevoegd.'

Dergelijke kennis en feitelijkheden zou Meerum Terwogt gedurende het toernooi ook met zijn Nederlandse lezers delen. Maar in de ochtendeditie van de NRC van dinsdag 27 mei wist hij dat nog niet en schreef hij vooral over de 'ongewenscht-heid' van een wedstrijdverslag van Uruguay – Zuid-Slavië.

Op diezelfde pagina meldde Meerum Terwogt de aankomst van het Nederlands elftal 'met den grooten sneltrein' de avond tevoren in Parijs om hun eerste Olympische duel tegen Ierland te gaan spelen. 'Alles was in orde. De spelers gingen zich verfrisschen, eten en naar bed. Nederland *speelt morgen in de sterkste opstelling.*'

II

De Duitse voorhoedespelers schreeuwen het uit. Lieve God! Hebben die Hollanders dan geen enkele kennis van het voetbalreglement? En die scheidsrechter! Wat is dat voor man om telkens voor een overtreding te fluiten.

De tweede helft van de vriendschappelijke wedstrijd tussen Nederland en Duitsland op 21 april 1924 is al enige tijd gaande als de Zwitserse scheidsrechter Felix Herren wederom de plek aanwijst waar een van de vijf Duitse voorhoedespelers buitenspel stond.

'*Do?*'

'Do!'

'*Wirklich?*'

'Wirklich!'

Vooral rechtsbinnen en loonwerker Andreas Franz, linksbuiten en koopman Willy Ascherl en midvoor en ingenieur Leonhard Seiderer spelen hun rol in dit terugkerende tafereel met verve.

Het lijkt inmiddels op een klucht voor tweeëntwintig spelers, een bal en een scheidsrechter.

Het doek gaat open. Het publiek ziet een Duitse speler in balbezit: meestal spil en bankbediende Hans Kalb van 1. FC Nürnberg. Komend vanaf het middenveld speelt hij de bal richting voorhoede. De ogen van het publiek volgen de Duitse pass. Buiten hun directe gezichtsveld, maar cruciaal in dit toneelstuk, heeft de Nederlandse verdediger Hans Tetzner vlak voor het vertrek van de pass enkele ferme stappen voorwaarts richting het Duitse doel gedaan. Het resultaat van deze handeling wordt het publiek terstond duidelijk.

Pffffuuuut!

Scheidsrechter Herren fluit voor buitenspel. De door Tetzner en medeverdediger Harry Dénis opgezette val is geslaagd. Nederland triomfeert. Duitsland klaagt. Herren wijst naar de plaats delict. Publiek applaudisseert. Het doek valt.

En dat dus inmiddels al zo'n twintig keer. De zoveelste herhaling werkt steeds meer op de lachspieren van de ruim 25 000 toeschouwers in het Amsterdamsche Stadion aan de Amstelveenscheweg. Ook Tetzner en Dénis zien er de lol van in. Temeer omdat ze de scheidsrechter telkens weer aan hun zijde weten. Het Duitse geroep over 'onsportief gedrag' en de 'lieve god' wordt door Herren consequent beantwoord met het wijzen naar de precieze plek waar een Duitser in de buitenspelval was getrapt. Tetzner kijkt richting de Nederlandse reservebank. De Engelse trainer Bill Townley kan tevreden zijn.

Na drie bronzen medailles van het officiële Nederlandse voetbalelftal bij de Olympische Spelen van 1908, 1912 en 1920 had de Nationale Voetbal Bond (NVB) het noodzakelijk geacht voor het toernooi van 1924 een speciale trainer aan te stellen. De keuze viel op de achtenvijftigjarige Townley. Deze oud-profspeler van Arsenal en Blackburn Rovers was al bijna vijfentwintig jaar actief als oefenmeester, voornamelijk in Duitsland. Daar had zijn aanpak – gedisciplineerde nadruk op techniek en overzicht – letterlijk schoolgemaakt. Karlsruher FV werd dankzij de zogenaamde *Townley Schule* nationaal kampioen.

Aangesteld voor een korte periode ging Townley vanaf maart 1924 voortvarend aan de slag, hierbij geholpen door de ambities van de NVB. De Nederlandsch Elftal Commissie (NEC) onder leiding van Carl Hirschman bood hem liefst vijfendertig spelers, waaruit de uiteindelijke groep van tweeëntwintig internationals voor Parijs voort moest komen. Om tot een grondige en zorgvuldige selectie te komen waren in een periode van twee maanden liefst twaalf wedstrijden ingepland, inclusief deze vriendschappelijke wedstrijd tegen Duitsland.

Linksback Tetzner had het volle trainingsprogramma kunnen combineren met zijn studie geneeskunde. De nadruk van Townley op discipline en diens uitleg in het Duits ervoer hij, zoals de meeste spelers, als niet heel plezierig. Toch raakte Tetzner steeds meer onder de indruk van de op Engelse leest geschoeide oefenmeester. Al was het maar vanwege diens sterke tactisch inzicht.

'*Jungs, warum spielen wir heute nicht die Abseitsfalle,*' had Townley in de voorbereiding naar dit duel gezegd. Tetzner en Dénis hadden direct elkaars blikken gezocht.

Sinds enkele jaren hanteerde Tetzner deze uit Engeland afkomstige tactiek bij zijn Groningse club Be Quick. Het verhaal ging zelfs dat hij de eerste in Nederland was geweest. Of dat daadwerkelijk klopte wist Tetzner niet, maar de kwalificatie beviel hem. Ook omdat de tactiek vaak succesvol was. Als team speelde Be Quick al jaren sterk. De buitenspelval was een fijn, extra wapen. Dat Townley dit wapen bij het Nederlands elftal wilde toepassen was een goed idee. Aanvoerder Dénis bezat voldoende voetbalinzicht. En wat juist deze wedstrijd zo geslaagd maakte, was dat de meeste Duitsers helemaal niets wisten van deze laatste voetbaltactische vondst. Townley had daar vooraf al op gezinspeeld en het bleek te kloppen.

Kijk, daar ging warempel het toneeldoek alweer omhoog.

De Duitse spil en bankbediende Hans Kalb drijft de bal op. Tetzner ziet het, wacht even – Kalb richt de ogen op de bal – en precies dan doet de Nederlandse linksback enkele ferme passen richting middenlijn. Het wachten is op het fluitsignaal van scheidsrechter Herren.

III

Het is de dag ervoor. De halve finale van de Olympische Spelen van 1924 in Parijs zal over minder dan vierentwintig uur worden gespeeld als een Nederlandse jongen van veertien jaar vertelt over zijn voorliefde voor Harry Dénis. Hij zegt hem zo'n goede voetballer te vinden: altijd weer zo technisch, zo rap en als verdediger bang noch gemeen. En het dribbelen met de bal voorlangs zijn eigen keeper: machtig mooi! Daarmee verraadt de rechtsback zijn jeugdjaren als aanvaller. En ook hoe hij het spel leerde in zijn vroegste jeugd in Indië met een zelfgemaakte bal van een stofdoek. Ook vindt deze jongeling het reuzeknap hoe Dénis het voetballen bij de Haagse club H.B.S. zonder probleem combineert met zijn studie in Delft. En hoe hij als de onbetwiste kapitein leiding geeft aan het Nederlands elftal en daar de laatste tijd met kompaan Tetzner die nieuwe truc van de buitenspelval toepast.

Dat over die studie en die buitenspelval heeft hij trouwens van zijn vader. Zoals hij eigenlijk alle specifieke details over de voetballer Dénis van zijn vader heeft. Er is die ene foto, uitgeknipt uit de *Sportrevue*, waarop de tengere rechtsback hem met een glimlach aankijkt, handen nonchalant in zijn sportvest, haren strak achterover. Precies zoals moeder zijn haren kamt na het wassen. Maar verder bestaat Dénis vooral uit de verhalen van zijn vader, die vertelde over diens techniek, diens rapheid, diens uitstraling met lef, het rustig voor eigen doel langs dribbelen en over oefenen met de zelfgemaakte stofdoekenbal. Zelf heeft de jongen Dénis nooit zien voetballen.

Hij luisterde wel een keer met zijn vader naar een wedstrijdverslag van persbureau Vaz Dias op de radio. Maar dat was eigenlijk te moeilijk. En vragen stellen kon nauwelijks. Vader zei telkens weer dat hij stil moest zijn. Anders kon hij de wedstrijd niet goed volgen. Na afloop was de jongen uitgelegd dat de radiostem met 'hottentotten' de Zwitserse tegenstander bedoelde en de Nederlandse spelers op de radio 'indianen' waren. Waarom dat zo was, had te maken met geld. 'Als je ze zomaar bij hun namen noemt dan kan de buurman gratis meeluisteren,' had zijn vader gezegd met een allesverklarende blik in zijn ogen. De aanvoerder die wedstrijd was Hans Tetzner. Dat herinnert de Nederlandse jongen zich nog, net als de eindstand – 4-1 voor de Indianen – en het sterke spel van Dénis natuurlijk.

Met die twee als backstel gaat het daarom ook zeker lukken in de halve finale tegen de Uruguayanezen. Al moest Nederland wel waken voor onderschatting.

Die Andrade, die negervoetballer, werd natuurlijk niet voor niets het Zwarte Wonder genoemd: in een eerdere wedstrijd was hij het halve veld overgestoken met de bal op het hoofd. En ook scheen bij Uruguay een voetballer te spelen die dribbelde als een slang: met de bal aan de voet zigzagde hij dwars door de verdediging. En als hij scoorde rende hij snel terug om de sporen van zijn dribbels uit te vegen, zodat tegenstanders nimmer wisten wat de geheimen van zijn schijnbewegingen waren.

Zo'n beweging noemt vader een 'strik': cadeau voor het publiek, valkuil voor de tegenstander. Dat is natuurlijk machtig mooi, zo'n strik. Maar die tovenaarsvoetballers van heel ver weg hebben vast nooit gehoord van de gewiekste buitenspelval van Tetzner en held Dénis.

IV

Gesproken woorden waren slechts gesproken woorden. Dat gold ook bij een voorspelling. Vandaar dat de sportjournalist en voormalig scheidsrechter Chris Groothoff zijn ideeën voorafgaande aan de halve finale op schrift stelde en deze vervolgens aan collega Meerum Terwogt gaf. Gewaarborgd voor de overlevering.

Anders dan het gestaag gegroeide kamp van Uruguay-aanbidders zag de al enige tijd in Parijs aanwezige Groothoff namelijk wel degelijk kansen voor het Nederlandse team. De eerste wedstrijd tegen Roemenië was een mooie 6-0 overwinning geweest. Midvoor en sigarenhandelaar Kees Pijl maakte maar liefst vier doelpunten. De aanvaller van Feyenoord gaf tijdens de tweede wedstrijd, de kwartfinale tegen de Irish Free State, Ierland, de voorkeur aan de verjaardag van zijn vrouw. Joop ter Beek van NAC uit Breda en Ok Formenoy van Sparta hadden hun debuut gemaakt. Formenoy – beginnend als rechtsbinnen, later in de wedstrijd spelend als linksbinnen – was met twee doelpunten beslissend voor de uiteindelijke 2-1 overwinning. Maar verder hadden de debutanten gedeeld in de algehele malaise.

'Zelden heeft de nationale ploeg zóó loom, zóó lusteloos gespeeld,' schreef een collega-journalist over de wedstrijd tegen Ierland. Spijker op de kop. Alleen keeper en student medicijnen Gejus van der Meulen speelde een goede wedstrijd. Naast een algeheel falen van het elftal door het ontbreken van de juiste 'spirit' was ook de buitenspelval al vroeg in de wedstrijd door de Ieren doorzien. Wanneer Tetzner enkele stappen naar voren maakte, anticiperend op een *through-* of *long*pass, hield de Ierse speler de bal bij zich en snelde naar voren. Samen met kanthalf en machinebankwerker Peer Krom moest Tetzner dan hard werken om deze speler met balbezit te achterhalen. Zonder Van der Meulen waren dergelijke moeilijkheden veel slechter afgelopen.

Pas in de verlenging had Formenoy met zijn tweede doelpunt de wedstrijd beslist. Misschien kwam het door de flessen champagne die de Ieren dronken in de rust voorafgaand aan de verlenging, maar Nederland had weer enigszins gedomineerd. Champagne gaf wielrenners en zwemmers een opkikker, de Ieren bracht het een nederlaag. En zo had Nederland ondanks pover spel de demi-finale bereikt. En juist het matige spel stemde Groothoff optimistisch.

De slechte dag die elk team tijdens een toernooi ervoer had het Nederlands elftal daarmee al gehad. Door de hoge verwachtingen bij Uruguay kon er 'gemakkelijk en vrij' worden gespeeld. Bovendien wisten de spelers wel raad met de nieuw verworven reputatie van de Zuid-Amerikanen.

'Want de Nederlander is van nature een reputatiebreker,' schreef Groothoff in zijn brief aan Meerum Terwogt. 'In den Nederlandschen aard zit heel weinig respect voor reputatie. De Nederlander staat eerder cynisch dan waarderend tegenover een reputatie. In den Nederlandschen aard ligt een lust tot teniet doen. Eerst wanneer de Nederlander zelf, aan den lijve, ondervonden heeft, dat de reputatie een waarachtigen basis heeft, eerst dan komt er erkenning. Ik zou haast durven zeggen, dat het onzen spelers nog minder te doen is om een nationale overwinning te behalen, dan om hun aard (lust om reputatie te knakken) bot te vieren... Uruguay speelt, volgens alle beschrijvers, een fijn uitgebalanceerd spel. Zulk spel is een teer spel... Uruguay is fijn glas, wij grof aardewerk. Waar vallen nu de barsten...!'

Tja, waar vallen nu de barsten? Voorlopig zit Groothoff er met de voorspelde strijdlust niet ver naast. En een 2-1 overwinning voor Nederland, zoals hij voorspelde, kan ook nog steeds. En ook de lust tegenstanders te knakken is bij hen duidelijk sterker aanwezig dan bij de – van fijn glas gemaakte – Uruguayaanse spelers.

Nederland was sterk begonnen aan de demi-finale. Vrijwel iedereen speelde fanatiek en was vasthoudend in de persoonlijke duels. Uruguay was daardoor niet aan zijn normale, mathematisch precieze spel toegekomen.

Via de uitmuntend spelende linksbuiten en handelsreiziger in sanitair Jan de Natris stichtte Nederland zelfs gevaar. Er ontstond een klein opstootje toen Tetzner midvoor Petrone een duw gaf. Terstond moest op de tribune een relletje tussen toeschouwers worden gesust. De politie deed haar werk. Op het veld beoordeelde scheidsrechter Georges Vallat de duw van Tetzner vervolgens als fair. Dat was opmerkelijk. De Fransman floot toen al niet bijster best. De door Nederland gehanteerde buitenspelval zag hij veelal over het hoofd. De keren dat Vallat floot was dat dankzij de scherpe blik van de Zwitserse grensrechter Felix Herren.

Na ruim een halfuur snelde De Natris weer eens langs zijn tegenstander, zette vervolgens scherp voor en de in de basisopstelling teruggekeerde midvoor Pijl liep de bal eenvoudig in het net: 1-0 voor Nederland, hoe verrassend!

Uruguay drong daarna sterker aan. De spelers waren technisch duidelijk superieur. Andrade was de uitblinker. Maar doelpunten maken lukte hem niet. En dat zorgde ervoor dat de Nederlanders letterlijk 'aan den lijve ondervonden' wat de waarachtige basis van het Uruguayaanse elftal was.

Met misbruik van geestdrift en lichaamskracht kraakten de Zuid-Amerikanen de Nederlandse spelers. Vooral na de rustperiode schopten en trapten Uruguay niet alleen meer tegen de bal. Ook omdat doelman Van der Meulen alle schoten stopte, kozen ze vaker voor geniepige trucs.

De gelijkmaker, nu pas tien minuten geleden, kwam door Cea, nadat Van der Meulen een zoveelste hard schot van Andrade wel stopte, maar niet vast kon houden. Daarna had Nederland enige tijd met tien man moeten spelen, omdat Tetzner geblesseerd was na unfair gedrag van Petrone. Eerder was Van Linge al zodanig geraakt door een Uruguayaan dat de spil nu op halve kracht speelt.

Gelukkig staan beide Nederlanders weer in het veld en vooralsnog meldt het scorebord 1-1. Het Nederlands elftal houdt stand tegen het Uruguayaanse voetbalgeweld.

De belegering van het doel van Van der Meulen wordt wel heftiger. Debutant Gerrit Horsten heeft moeite met de negervoetballer Andrade, die als enige Uruguayaan zuiver op techniek en zonder geniepigheden speelt. Gelukkig helpt De Natris mee verdedigen. O nee, jammer, de zwarte Uruguayaan speelt ook De Natris voorbij en plaatst de bal met een boog richting Nederlands doelgebied.

Een worsteling. Een scrimmage. Een heen-en-weer-gaan van de bal tussen Uruguayaanse kicksen en Nederlandse scheendekkers met als eindstation de hand van Scarone, de Uruguayaanse rechtsbinnen.

Handjes! Handjes! Duidelijk een handsbal van Uruguay. Maar de Franse scheidsrechter Vallat doet niets. Of toch wel?

De bal is via de hand van Scarone weer op de grond gekomen, stuitert, één-, twee-, driemaal op en raakt dan via een been het lichaam van Van Linge, het bovenlichaam van de Nederlandse spil Van Linge.

Waaaaat? Een strafschop tegen Nederland! Waarom?

V

'Van der Meulen, de doelverdediger, werd aan een bombardement volgens de regelen der kunst onderworpen. Hij hield alles. Het was bewonderenswaardig. Plotseling fluit de scheidsrechter. Een Hollandsche achterspeler had naar het scheen den bal met de hand geslagen. De oogen van dien scheidsrechter waren werkelijk die van den lynx... want hij alleen zag die fout.'
(Uit het wedstrijdverslag in de Franse krant *Le Matin*)

'De Hollanders hebben hun kleuren met kracht verdedigd en de toeschouwers door hun spel sterk geïmponeerd.'
(Uit *L'Auto*)

'Tot ieders verwondering bood Holland zóó heftig weerstand, dat het spel der Zuid-Amerikanen geheel in de war werd gebracht.'
(Uit *Excelsior*)

'Men dacht langere tijd dat Holland zou winnen.'
(Uit *Le Journal*)

'Moest het een strafschop zijn, die aan Uruguay de overwinning kwam verzekeren. Dat is jammer. Uruguay domineerde toen aanzienlijk, maar men zou gewenscht hebben de schitterende aanvallen normaal te zien eindigen en niet door tusschenkomst van de justitie, geïncarneerd in den scheidsrechter, den heer Vallat.'
(Journalist Maurice Pefferkorn in *l'Echo des Sports*)

Ook in de Franse kranten werd daags na de Olympische demifinale tussen Uruguay en Nederland nadrukkelijk aandacht besteed aan de dubieuze strafschop. Naast complimenten voor het Nederlandse verweer was er geen enkele journalist die de beslissing van Vallat begreep. *France Soir* vermeldde de scheidsrechterlijke dwaling zelfs in de kop. '*L'arbitre bat la Hollande*,' schreef de krant. 'De scheidsrechter verslaat Nederland.'

Het was precies deze kop die linksback Hans Tetzner ver na het toernooi liet inlijsten, waarna hij dit zelfgeschapen voetbalschilderij zijn verdere leven met zich meedroeg en ophing aan een van de muren in zijn Amsterdamse dokterspraktijk. Hij keek er vaak naar. En elke keer was het verhaal hetzelfde. Natuurlijk was Uruguay de tweede helft sterker. Maar zonder die arbitrale dwaling was het zeker mogelijk geweest de verlenging te halen. Vallat bood met zijn onbegrijpelijke beslissing aan Scarone een wel erg eenvoudige mogelijkheid te scoren: de strafschop werd verzilverd, Uruguay nam de leiding en de Hollandse moraal was gebroken.

Meestal vertelde hij het verhaal aan vrienden en bekenden. Maar het was op zaterdag 15 juni 1974, aan de vooravond van opnieuw een revolutie op het voetbalveld, dat Tetzner, inmiddels een nationale beroemdheid als medisch expert op het gebied van de voetbalknie, op de Nederlandse televisie werd gevraagd te spreken over de wedstrijd van 1924. Wat de voormalige linksback zich vooral herinnerde was het harde spel. Andrade was 'een nette vent', Petrone 'een reuzenschooier', net als de rest: 'Als de bal weg was, haalden ze vuiligheidjes met je uit, dan schopten ze tegen je benen. Ik heb toen een week lang niet kunnen lopen.'

VI

Het is dinsdag 10 juni 1924 als de trein uit Parijs arriveert op het Hollandsche Spoorstation in Den Haag. Het drietal internationals Harry Dénis, Henk Vermetten en Albert Snouck Hurgronje stapt uit, waarna ze welkom worden geheten door kapitein P. Scharroo. Namens het Nederlandsch Olympisch Comité spreekt hij de internationals toe.

Zijn hartelijke woorden zijn nauwelijks hoorbaar vanwege de grote groep mensen die zich hebben verzameld op het perron en buiten het station. Bij het zien van de drie voetballers was er direct een groot gejuich opgegaan.

'Hoera! Hoera! Hoera!' roept de mensenmassa; steeds harder en harder. 'Hoera! Hoera! Hoera!' Nadat Scharroo is uitgesproken worden twee basis- en één reservespeler van het verliezende Nederlands elftal op de schouders genomen. Dénis krijgt een speciale bos bloemen aangeboden.

Na de wedstrijd had de Nederlandse aanvoerder een officieel protest ingediend tegen de dubieus toegekende strafschop. Maar dit was op dezelfde vrijdagavond al verworpen. Scheidsrechter Vallat had de spelregels niet verkeerd toegepast, oordeelde de jury d'appel. Dat er mogelijk iets mankeerde aan zijn waarneming deed er niet toe. Als reactie op het harde spel van Uruguay werd op verzoek van de spelers een geplande oefenwedstrijd tegen en in Nederland door de NVB afgezegd. Ook dat maakte niets uit. Uiteindelijk was Nederland verslagen: Uruguay speelde de finale (3-0 winst tegen Zwitserland) en het Nederlands elftal mocht tegen Zweden voetballen om de derde plaats (uiteindelijk verlies na twee wedstrijden).

Een vierde plaats was gezien de eerdere drie bronzen medailles teleurstellend. Voor het Nederlandse publiek maakte dat niet veel uit. Juist zo'n minimaal én volstrekt onrechtvaardig verlies tegen de oppermachtige wondervoetballers van Uruguay werd ervaren als een grootse prestatie. De nederlaag zou lang als ijkpunt gelden.

Dit werd nog versterkt doordat tijdens de Olympische Spelen van 1928 in Amsterdam het Nederlands elftal al in de eerste ronde moest spelen tegen Uruguay.

'Heb ik iets verkeerd gedaan,' vroeg de Nederlandse prins Hendrik nadat hij de loting voor het Olympische voetbaltoernooi had verricht. De kaartenverkopers van het voetbaltoernooi vonden van niet: ruim vierentwintig uur voordat de verkoop in het gebouw van de Nederlandsche Handel-Maatschappij aan de Vijzelstraat in Amsterdam startte meldden de eerste gegadigden zich al. Uiteindelijk stonden er zo'n 30 000 mensen in de rij voor een totaal van negenduizend te verkopen kaarten.

De voetballers waren minder enthousiast over de koninklijke loting. Het team van Uruguay was te sterk en bovendien speelden ze unfair. De enige twee overgebleven spelers van het team van 1924, doelman Van der Meulen en aanvoerder en recordinternational Dénis, speelden deze wedstrijd in de eerste ronde volledig opgefokt. Ze hadden voorafgaand aan het duel hun medespelers proberen op te hitsen. Het was zonder effect. Nederland verloor kansloos met 2-0. De aankomende grote ster van het Nederlands elftal, de linksbenige middenvelder van Feyenoord en vertegenwoordiger in de kolenhandel Puck van Heel, werd door zijn directe tegenstander Andrade volledig overklast.

Uruguay won wederom het Olympische voetbaltoernooi van 1928. Na afloop werd het belang van de ervaringen van Parijs 1924 voor het Nederlandse voetbal duidelijk. In een vraaggesprek met het *Leeuwarder Nieuwsblad* van zaterdag 18 augustus 1928 vertelde de heer Carl Hirschman in zijn functie als voorzitter van de Technische Commissie (TC), de nieuwe naam van de voormalige NEC, dat de Olympische Spelen van Amsterdam 'niet veel nieuws' had opgeleverd, maar wel verschillende bestaande opvattingen van de TC hadden versterkt. Zo miste Hirschman nog steeds in de middenlinie 'een meer offensieven geest'. En verder was er de bevestiging van wat hij 'de groote les van Parijs' noemde: 'het groote belang van een snel tempo'. Direct na de Spelen van 1924 was de nieuwe Engelse bondstrainer Bob Glendenning gevraagd specifiek op 'snelheid van handelen' te trainen. Al moest dat wel in balans zijn met het tactisch inzicht: 'overleg bij de spelers'.

'De Zuid-Amerikanen spelen schitterend voetbal, maar of wij het zoover zullen kunnen brengen is tot op zekere hoogte in de eerste plaats afhankelijk van het vinden van een aantal spelers met buitengewonen aanleg. Dat heb je niet in de hand. Wel is het mogelijk met minder technische capaciteiten, meer intellect in het spel te leggen. Want al moeten wij toegeven, dat de Zuid-Amerikanen fraai spel laten zien: het valt toch niet te ontkennen, dat er vrij groote uniformiteit in terug te vinden is. Wanneer men in staat is het spel af te wisselen in verband met de omstandigheden tijdens een wedstrijd, dan is spelopvoering mogelijk zonder dat de technische capaciteiten verhoogd zijn.'

3

Binnen in het voetbalpaleis

17 februari 1935
Amsterdam, aanvang 14.30 uur
Vriendschappelijk duel in het Olympisch Stadion
Nederland – Duitsland 2-3

Zijn plek op de bank aan de veldrand is dezelfde. Karel Lotsy – kenmerkende lange overjas, gleufhoed en priemende ogen – zit temidden van de Keuze Commissie-leden Miel Mundt en Henk Herberts, en naast de Engelse bondsoefenmeester Bob Glendenning. Als lid van de Technische Commissie (TC) hoort hij daar ook te zitten. En toch is er iets veranderd.

Hij, Karel de Kerel, de Dordtse magiër, onze sport-Mussolini, Keuze Karel, of welke bijnamen er de afgelopen jaren nog meer zijn bedacht om zijn invloed op het Nederlandse voetbalelftal te duiden, hij, Karel Lotsy, eenenveertig jaar, is sinds begin februari niet langer voorzitter van de TC. De reden voor zijn opstappen is medisch van aard: de uren als sportbestuurder bij de Koninklijke Nederlandse Voetbal Bond, het Nederlands Olympisch Comité en bij de wereld-voetbalbond FIFA vergen naast het directeurschap van verzekeringsbedrijf Holland te veel van hem. Tenminste, dat vertelde hij de pers. De werkelijke reden is zijn verliefdheid.

Ali, mooie Ali. Lieve Ali. Fijne Ali. Sinds de zomervakantie kan Lotsy aan niemand anders denken dan de negenentwintigjarige Ali Beltman. Lastig is wel dat ze allebei getrouwd zijn. Daarom is de beslissing op te stappen als voorzitter van de TC ook de juiste. Dat schept tijd. Dat schept rust.

Duitsland-Nederland

Zelfs de aan hem gerichte handgeschreven brief, ondertekend door alle spelers van het Nederlands elftal, had hem niet doen twijfelen. 'Heusch meneer Lotsy het is bijna onmogelijk dat wij het zonder u moeten stellen,' schreven ze en verzochten hem zeer nadrukkelijk om aan te blijven. 'Natuurlijk, mijnheer Lotsy, het moet, niet alleen voor ons maar voor ons Nederlands Voetbal, wij moeten bij elkaar blijven nog jarenlang.'

Het lezen van deze woorden streelde zijn ego. Het besef dat de jongens willen voetballen omwille van hun nationale trots ontroerde hem zelfs. Toch is hij onvermurwbaar: geen voorzitterschap meer voor hem, in elk geval niet de komende tijd.

Lotsy draait zijn hoofd richting de tribunes. Vanaf zijn plek aan de rand van het voetbalveld ziet hij de Duitse spelers vanuit de catacomben met een drafje het veld opkomen. Hij herkent de lange keeper Fritz Buchloh van VFB Speldorf, de spil Reinhold Münzenberg van Alemannia Aachen en de rechtshalf en aanvoerder Rudolf Gramlich van Eintracht Frankfurt: sinds het Duitse elftal speelt volgens het 'safety-first' voetbalsysteem van het Engelse Arsenal – nadruk op de verdediging, waarbij de spil als de vaste derde back de midvoor van de tegenstander afstopt – vormt dit laatste tweetal het tactische brein van het elftal.

Maar liefst acht spelers die vorig jaar tijdens het WK in Italië een knappe derde plaats behaalden spelen vandaag ook weer mee. Ze vormen de basis van een team dat de afgelopen twee jaar van de veertien gespeelde wedstrijden er slechts één verloor: de ooit zo kenmerkende onsamenhangendheid van het Duitse elftal lijkt voorgoed verdwenen.

Gelukkig heeft Herberts onze spelers nadrukkelijk geïnstrueerd over het door bondstrainer Otto Nerz ingeslepen systeem van de W-formatie waarbij drie voorhoedespelers en twee teruggetrokken binnenspelers tezamen deze W vormen.

Onder andere omstandigheden had Lotsy nu vast langer stilgestaan bij de afgelopen jaren; was hij in gedachten teruggegaan naar hoe hij naam maakte als voetbaldeskundige bij HFC uit Haarlem. Hoe hij in 1924 als onbezoldigde analist voor het Nederlands elftal rondliep op de Olympiade in Parijs, waarna de pers zijn mening over het nationale voetbal steeds serieuzer ging nemen. Hoe hij in 1931 lid werd van de Keuze Commissie – tezamen met Henk en Miel – om na jaren zonder voetbalsucces eindelijk weer 'een Nederlands elftal te kiezen dat wint'. En hoe zij als het drietal Herberts-Mundt-Lotsy – 'Het-Moet-Lukken' schreven de met hun achternamen goochelende journalisten – erin waren geslaagd deze door de nieuwgekozen KNVB-voorzitter D. J. van Prooye uitgesproken wens te vervullen.

Door invoering van gezamenlijke trainingen op het veld van het Haagse VUC en de nadruk op sterke saamhorigheid was de Nederlands Elftal Club – een naam die hijzelf bedacht – weer een winnend elftal geworden. Historische wedstrijden waren er gespeeld.

De 9-3 thuisoverwinning op België in 1934: een wedstrijd waarin alles op zijn plek viel en Bakhuys die vliegende kopgoal maakte. En in hetzelfde jaar was er de 5-2 thuisoverwinning op Ierland, wat eigenlijk al de plaatsing voor het WK betekende. En hoewel dat mondiale toernooi in Italië met 3-2 verlies tegen Zwitserland in de eerste ronde een deceptie werd, was het nationale voetbalelan ongekend groot geweest. 'We gaan naar Rome' zong gans voetbalminnend Nederland in de voetballente van 1934 volkszanger Willy Derby na. Al kwamen we uiteindelijk dus niet verder dan Milaan.

Het zijn mooie mijmeringen, maar Lotsy ontbreekt de tijd en de rust. Gespannen ziet hij hoe de Duitse spelers zich langzaamaan opstellen voor het spelen van hun volkslied. Het komende moment, vlak voor aanvang van het vriendschappelijke duel, houdt hem al maanden bezig.

Het begon met de opmerking van bestuurslid Martijn Sajet over de ongewenstheid van het zingen van het *Horst Wessellied* door de Duitse ploeg. Nadat Adolf Hitler twee jaar geleden was benoemd als rijkskanselier had hij verordonneerd dat na het eerste couplet van het *Deutschlandlied* ook dit lijflied van de nazipartij gezongen moest worden. Sajet zag dat volkomen terecht als een politieke uiting. Bovendien wist het bestuurslid te vertellen dat het Joden in Duitsland al langer was verboden lid te zijn van een sportvereniging.

Als organisator van de vriendschappelijke wedstrijd was Lotsy meermaals afgereisd naar Duitsland. Peco Bauwens, zijn Duitse collega bij de FIFA en vriend, bezwoer hem dat Joden wel degelijk in clubverband konden voetballen. En tijdens de onderhandelingen over het te volgen protocol rondom het duel stelden de Duitse verantwoordelijken zich constructief op.

Verbieden, wat Sajet en enkele Nederlandse clubs wensten, was voor hem nimmer een optie. Hij bleef zoeken naar een oplossing die alle betrokkenen konden billijken en waarmee werd voorkomen dat op het voetbalveld politieke geschillen werden uitgevochten. Want daar strijdt Lotsy tegen. Sport en politiek zijn voor hem gescheiden werelden, als water en vuur. Sport moet binden, niet scheiden. Het is, zoals hij het ooit met gedragen stem en een passende intonatie declameerde tegen een bevriende journalist, 'dat héérlijk móóie, neutrále terrein waar arm én rijk, socialist én ánti-revolutionair, vrijheidsbonder én christelijk-históricus als vriénden elkaar kunnen leren begrijpen, én van elkáár kunnen leren.' Als daarmee het nationaliteitsgevoel van de Nederlander wordt verstevigd: des te beter. Maar een voetbalveld dient verschoond te blijven van politieke uitingen.

Mede door zijn standvastigheid op dat punt is voor het komende moment een voor iedereen acceptabele oplossing gevonden: wel volksliederen, geen *Horst Wessellied*, maar wel weer die zogenaamde Duitse groet. En dat laatste baart Lotsy enige zorgen.

De Duitse spelers staan inmiddels in een rechte rij naast elkaar. Hij kijkt naar de catacomben. De politie vertelde hem eerder over protesteerders met pamfletten op het plein voor het stadion. Maar binnen, op de uitverkochte tribunes, houdt iedereen zich tot nu toe rustig. Om dat zo te laten is met de Nederlandse spelers afgesproken dat zij direct aan het begin van het Duitse volkslied het stadion zullen betreden. Gaat dat lukken?

Het fanfareorkest begint. Het *Deutschlandlied* klinkt – '*Deueutschland*' – en de Duitse spelers strekken de rechterarm en brengen de Hitlergroet. Precies op dat moment dribbelen de Nederlandse spelers door de haag van in blauw-wittenue geklede jongens het veld op. Het publiek reageert enthousiast.

Voorop gaat aanvoerder Puck van Heel van Feyenoord, de technische linkshalf die Lotsy vaak liefkozend 'de kleine grote man' noemt: klein van postuur, groots van daden. Daar ontwaart hij ook de sportbril van Ajacied Jan van Diepenbeek, rechtsback en vandaag de aangewezen penaltynemer. Nadat linksbuiten Koos van Gelder van VUC met een curieuze huppelsprong het veld in springt, volgen de laatste drie internationals: spil Wim Anderiessen van Ajax, middenvoor Beb Bakhuys van ZAC uit Zwolle en linksbinnen Kick Smit van Haarlem. Gezamenlijk stellen zij zich op naast het Duitse elftal, dat nog steeds de Duitse groet, het Hitlergebaar brengt.

Temidden van het 31 000-koppige publiek, in het speciaal voor de pers gereserveerde vak, zit Joris van den Bergh, sportjournalist en vriend van Lotsy. Net als de gewezen TC-voorzitter is de sportschrijver benieuwd naar het vervolg.

Direct nadat het *Deutschlandlied* is beëindigd zet de fanfare het *Wilhelmus* in: ook weer precies zoals Lotsy dat heeft bedacht. Het volkslied zorgt opnieuw voor groot enthousiasme op de tribunes. Dat de Duitse spelers nog steeds met rechte rug en strak in het gelid de rechterarm schuin de lucht in steken lijkt van ondergeschikt belang.

I

'*Sie spielen Glück-Fussbal.*' De Hongaarse trainer Dori Kürschner kijkt Karel Lotsy indringend aan, pauzeert even en herhaalt vervolgens zijn definitieve verdict over het door Nederlanders gespeelde voetbalspel.

Geluk. Toeval. Een systeemloos heen-en-weer schieten. Wat Nederlanders zo graag 'open spel' noemen – bal veroveren en dan snel de aanval zoeken met kruislingse longpassing – blijkt in de ogen van buitenlandse voetbalkenners domweg 'geluksvoetbal'.

Het was op 2 november 1930, na afloop van de uitwedstrijd tegen Zwitserland – met 6-3 alweer een kansloze verliespartij – dat bondsbestuurder Karel Lotsy dit oordeel hoorde uit de mond van Izidor Kürschner. De legendarische trainer van het Zwitserse Grasshoppers was ooit een tactisch uitmuntende speler bij het al even legendarische MTK Budapest van voor de Groote Oorlog. Als coach behaalde hij landstitels met het Duitse 1. FC Nürnberg en met Grasshoppers, en Olympisch zilver met de Zwitserse nationale ploeg. Voor Lotsy en het ganse Nederlandse voetbal had deze alom gewaardeerde Hongaarse voetbaldeskundige tijdens het banket nog wel een goede tip: spelers elke dag vijf minuten lang alleen maar aan een veelvoorkomende voetbalsituatie laten denken. Precies zoals hij dat bij Grasshoppers deed.

Lotsy dacht bij het horen van die tip aan hoe hij als bestuurder bij HFC in Haarlem gedurende het seizoen de spelers van het eerste elftal wekelijks een tweetal motivatiebrieven stuurde. Ergens leek die methode daar wel een beetje op. Toch was het pas later, zo ongeveer na de eerste uitoverwinning van het Nederlands elftal onder het drietal Herberts-Mundt-Lotsy – 2-0 in en tegen Denemarken op 14 juni 1931 – dat hij begreep wat de voetbalfilosoof Kürschner bedoelde.

Het begrip kwam door het boek *Te midden der kampioenen* van Joris van den Bergh dat de toen negenenveertigjarige sportjournalist bij hem thuis had laten bezorgen. Lotsy las het in 1929 uitgegeven relaas over de vijf sprintwereldtitels van baanwielrenner Piet Moeskops in één adem uit. En begon vervolgens direct weer van voren af aan.

'Tot dat moment had ik de mental training, ik zou haast zeggen als bij intuïtie verricht,' schreef hij later in het voorwoord van een herdruk van het boek. 'Ik voelde dat 't juist was wat ik voorstond, maar ik wist tevens dat ik er nog heel weinig van afwist. Kortom, ik had literatuur nodig, liefst literatuur aan de praktijk getoetst.'

Van den Bergh schonk Lotsy precies dat: een praktijkvoorbeeld van het belang van trainen met de hersenen. Hij maakte het verschil duidelijk tussen een 'domme spier' en een 'levendige, gevoelige, snel reagerende spier'. Hij effende daarmee de weg voor de 'concentratiemethode'.

''t Klinkt gek, hè! Maar als je dát in je leven hebt gebracht, dan is het net alsof je spieren in je sport meedenken. Dát moet je hebben, wil je als sportman het grootste bereiken. Je kunt oefenen zoo veel je wilt, je kunt aanleg hebben, heel ijverig wezen, prachtig gespierd zijn, maar "dat andere" moet erbij komen wil je excelleeren,' schreef Van den Bergh in zijn boek en citeerde precies deze zinnen in het artikel 'Voetbal en Concentratie' dat op 17 november 1930 verscheen in *De Sportkroniek.*

Dat stuk – de Genesis van de concentratiemethode – was het eerste deel van een drieluik, waarin Van den Bergh de vaderlandse voetbalsport wees op het belang van aandacht voor de psyche van de voetballer. 'Er is nu zoo langzamerhand dertig jaar over spelverbetering en over het kiezen van kranige spelers geschreven, doch men schreef erover zooals men een paleis beschrijft dat men van binnen niet heeft gezien.'

Die binnenkant kende Van den Bergh al wel en deze bestond naast de noodzaak van geconcentreerd – lees: met de hersenen – trainen, uit het kweken van saamhorigheid en de acceptatie dat een voetbalvolk alleen is op te voeden door 'met de aard en het karakter van het volk rekening te houden'. Wat hij daarmee precies bedoelde werd duidelijk in het tweede artikel, 'Voetbal en Volksaard'.

Als jongeling had Van den Bergh het idee dat Nederlandse voetballers zich prima konden bekwamen in de verschillende scholen van het voetbal. Werd de Weense, of de Schotse school begeerd, dan moest hard worden getraind. Op die manier kreeg men het wel onder de knie. Langere studie bracht de sportschrijver/essayist tot een ander, dieper inzicht, namelijk: 'Getoonde verschillen in voetbaluitvoering zijn geen quaestie van school doch van volksaard.'

Het logisch gevolg was dat het Nederlandse voetbalelftal pas weer een winnend elftal kon worden, als de spelers gelijk hun volksaard gingen voetballen. Of, zoals de latere Van den Bergh schreef, volgens hun 'geprononceerde volksaard'.

'Het Nederlandsche volk is geen elegant volk. Wij zijn noch lichamelijk noch geestelijk elegant. Evenmin zijn wij zwierig en artistiek. Vertoonmakers zijn wij niet. Alhoewel de beschaafde mensch over de gehele wereld comedie speelt, zijn wij slechte acteurs. Veel fantasie houden wij er niet op na, wij zijn realisten. Onze aard is eenvoudig: wij zijn nuchter en beminnen de doelmatigheid.'

Buitenstaanders van het voetbalpaleis zouden dat wellicht als harde woorden opvatten. En Van den Bergh kreeg ook kritiek op zijn schrijfsels. Maar Lotsy begreep de boodschap. De Nederlands Elftal Club moest gaan voetballen zoals Piet Moeskops op de wielerbaan rond had gereden: eenvoudig, nuchter en doelmatig. Gelijk een Nederlander.

Nadat Lotsy in 1931 voorzitter werd van de Technische Commissie, begon hij door het land te reizen om lezingen te geven. Ruim drie uur lang sprak hij, bewust van het belang van de juiste intonatie in zijn stem, over de concentratiemethode. Naast het openbarende gesprek met Kürschner vertelde Lotsy dan graag dat hij *Te midden der kampioenen* liefst zeven keer had gelezen.

'Er is geen boek waaruit ik zoveel geciteerd heb,' zei hij dan. 'Alleen dominees citeren meer uit de bijbel.'

II

'Na het verwisselen van de natte voetbalplunje met 't droge politiekje komen zij, die straks geroepen zullen worden Holland eens aan een overwinning te helpen, bijeen in 't VUC-paviljoen, waar Herberts, Mundt en Lotsy gezeteld zijn om de resultaten van de eerste trainingsavond te overzien.'

Aldus schreef journalist en ingenieur Ad van Emmenes in *De Sportkroniek* van 12 februari 1931. Hij was als redacteur verbonden aan dit wekelijkse periodiek van de KNVB en schreef geregeld een cursiefje onder zijn alias: v. E.. Maar voor dit cursiefje deed de journalist nog meer zijn best dan anders.

De drie genoemde leden van de Keuze Commissie hadden na hun aanstelling in januari 1931 op zijn aanraden besloten om voor beoogde internationals wekelijks een gezamenlijke trainingsavond te beleggen op de velden van VUC in Den Haag. Het oorspronkelijke idee was afkomstig van M.L. van Biene uit Rotterdam die in een ingezonden brief in *De Sportkroniek* wees op de noodzaak het Nederlands elftal geregeld met elkaar te laten oefenen, maar het was Van Emmenes geweest die deze brief met een instemmend naschrift had gepubliceerd en hij had de KC uiteindelijk van de noodzaak overtuigd.

De keuze voor VUC aan de Haagse Schenkkade was ingegeven door de onlangs aangebrachte Philips lichtinstallatie: een van de eerste in Europa. Dankzij deze lichtmasten kon ook 's avonds getraind worden. Lang duurden die trainingen niet. Oefenmeester Glendenning liet zijn spelers wat rondjes rennen en gymnastiekoefeningen doen zonder dat er een bal werd aangeraakt. Dit duurde een halfuur, waarna de spelers een warm bad wachtte. Vervolgens verzamelde de selectie zich in het VUC-paviljoen: een oude houten strandtent die al langer dienst deed als kantine. En daar kregen ze een kort onderricht over het voetbalspel.

Dat werd gegeven door voormalig scheidsrechter, journalist en erkend voetbaltheoreticus C. J. Groothoff, die de spelers vertelden over de juiste uitvoering van voetbaltechnieken of van het gewenste positiespel. Maar vaak namen ook Herberts en Lotsy het woord. De eerste besprak veelal de wedstrijdtactiek, of de speelwijze van de tegenstanders. Lotsy richtte zich altijd op het gemoed van de spelersgroep. Spreken voor een menigte was hem altijd al goed afgegaan. Dat kwam door zijn stem, luid en gedragen, waarbij hij ook steeds beter de juiste intonatie wist te gebruiken. Warm, verwijtend, vrolijk, hartstochtelijk, of juist ernstig: met zijn stem bespeelde hij vele klankregisters. De ene speler werd meer gegrepen door dergelijke speeches dan andere. Lotsy had wel eens gehoord dat enkele spelers hem gekscherend 'Opa Bulder' noemden. Maar hij en Herberts merkten al snel dat het houden van dergelijke verhalen bijdroeg aan de saamhorigheid. De spelers gingen zich meer gedragen alsof ze een clubteam waren: raakten vertrouwd met elkanders kwaliteiten. Daarbij spraken de resultaten ook voor zich. Sinds de bijeenkomsten was het Nederlands elftal weer een winnend elftal.

Als vanzelf was er een routine ontstaan waarbij de laatste donderdag voor de wedstrijd altijd een prikkelende toespraak, een donderspeech, werd gegeven en die vlak voor aanvang van de wedstrijd werd herhaald. Bewust nog even 'een klap op de vuurpijl geven' noemde Lotsy dat.

Joris van den Bergh had deze ontwikkelingen letterlijk van dichtbij gevolgd. Net als collega Van Emmenes was hij vaak aanwezig tijdens de gezamenlijke trainingsavonden. Enthousiast beschreef hij de VUC-bijeenkomsten als het definitieve begraven van 'de periode van het systeemloze systeem'. In het verleden werden wel oefenwedstrijden gespeeld en reisde bondstrainer Glendenning door het land om individueel met spelers te werken, maar volgens Van den Bergh gebeurde dat zonder achterliggende gedachten.

En het was op 9 april 1934 dat de journalist, essayist en groot kenner van de concentratiemethode de voetbalkantine aan de Haagse Schenkkade eeuwigheidswaarde schonk. In een verhaal voor alweer *De Sportkroniek* met de kop 'Hoe juiste sfeer voor het Nederlandsch elftal gekweekt wordt' beschreef hij nauwkeurig wat er in het 'ietwat holle restaurant van VUC' geschiedde – 'niets geheimzinnigs' – en over het belang van 'gezamenlijk aanwezig zijn'. 'Het Nederlandsch Elftal bestaat niet meer uit elf menschen uit verschillende clubs, neen, het is zelf een club geworden, een club met een geweldigen geest, een broederlijke geest, een nationale geest.'

In de eerste zin van het artikel beschreef Van den Bergh het paviljoen nog als 'wondertentje'. Aan het einde achtte hij een hoofdletter W toepasselijker. 'De atmospheer waarin een dergelijke opofferingsvaardigheid en een dergelijke toewijding konden geboren worden en tot vollen wasdom konden komen, is in het Wondertentje van V.U.C. geschapen.'

Zulk woordenspel was Van den Berghs grootste liefhebberij. Of zijn zinnen zich mettertijd loszongen van voldongen feiten en onweerlegbare resultaten en vervolgens een eigen mythisch bestaan kregen was geen zekerheid, maar in het geval van de wondertent leek het te lukken. Minder dan één jaar na zijn betiteling met een hoofdletter wisten desgevraagd ook huisvrouwen en keukenmeiden precies waar het Nederlands elftal saamhorigheid kweekte: 'In de Wondertent van VUC, meneer, in de Wondertent van VUC.'

Donderdagavond, in de aanloop naar het vriendschappelijke duel met de Duitsers, had Van den Bergh het VUC-paviljoen weer bezocht. De sfeer tijdens de gebruikelijke thee met gevulde koeken ervoer hij door de afwezigheid van Lotsy als 'ondefinieerbaar'. De kerels misten kennelijk Keuze Karel.

De wedstrijdbespreking van Herberts volgde hij met bedenkingen. De W-formatie van Duitsland bestrijden met een soortgelijke W-formatie, waarbij ook nog eens middenvoor Bakhuys de Duitse spil Münzenberg moest verdedigen, leek hem weinig zinvol. Dergelijk na-apen ging in tegen wat hij als de eerste regel uit het handboek der tactiek beschouwde: eropuit zijn de tegenstander de wil op te leggen. Met deze aanpassing konden straks de Duitsers juist doen wat ze wilden. Daarbij werden de Nederlandse spelers in een tegennatuurlijk spelsysteem gedrongen.

Om zijn eigen adagium, de noodzaak van 'spelen volgens de volksaard', te benadrukken schreef Van den Bergh daags voor de interland daarom uitgebreid over de langdurige ongeslagen status van de Duitsers. 'Ik ken jelui mentaliteit! Zoo'n publicatie aan den vooravond van de match roept in jelui iets van de juichende spanning, welke 'n straatjongen in zich heeft en hem bezielt, als hij een kostelijke mop gaat uithalen, ja! Dan worden jelui inderdaad bezield door de begeerte om als reputatie-breker op te treden.'

III

En weer tikken ze de bal naar elkaar. Nauwelijks tien minuten geleden namen de Nederlandse middenvoor Beb Bakhuys en linksbinnen Kick Smit ook al de aftrap. Dat was het eerste balcontact van de wedstrijd. Inmiddels zijn er al heel wat meer balcontacten en spelsituaties als voldongen feiten gepasseerd en is de stand 2-0 in het voordeel van de Duitsers.

Tweede minuut: de Duitse middenvoor Edmund Conen begint aan een ren. Hij drijft de bal steeds verder naar rechts, naar de kant van zijn sterkere schietbeen. Linksback Sjef van Run zet tevergeefs een blok. Zijn collega-back Van Diepenbeek ziet het gevaar, maar onderneemt niets, waarna Conen het strafschopgebied in rent en met een hard en laag diagonaal schot via de binnenkant van de verre paal scoort: 0-1.

Achtste minuut: hoekschop Nederland. Deze wordt eenvoudig door de Duitse verdediging weggewerkt, waarna linksbuiten Stanislaus Kobierski snel met de bal naar voren rent. Vlak voor het Nederlandse strafschopgebied passeert hij rechtshalf Bas Paauwe. Rechtsback Van Diepenbeek aarzelt, keeper Leo Halle rent uit zijn doel, maar kan niet verhinderen dat Kobierski de bal onder zijn lichaam door in het Nederlandse doel schiet: 0-2.

In de tussenliggende minuten hebben de spelers precies gedaan wat Herberts had opgedragen. 'Voortdurend dekken, geen Duitse speler op onze helft mag ongehinderd zijn,' stond onderstreept op een van de vijf uitgetypte vellen vol informatie over de Duitse spelers en de wedstrijdtactiek. Nederland speelde in 'een gebogen flauwe w-formatie': zo noemt Herberts dat. Al is het in dit geval wel de meest verdedigende variant.

Hij, Kick Smit, is vandaag meer verdediger dan aanvaller. Hij loopt voortdurend op zijn eigen helft. Zoals altijd is er op zijn werklust niets aan te merken. Sinds zijn debuut vorig jaar tijdens de 9-3 overwinning op België wordt hij daar keer op keer voor geprezen. Maar ook voor datgene waar zijn ware kracht zit: het vrije spel, de bal opdrijven naar de voorhoede, zonder zich al te veel druk te hoeven maken over zijn verdedigende taken.

Vanwege zijn vrij over het veld bewegen noemen sommige journalisten hem 'de Swerver'. Dat vindt hij wel mooi. Maar mijnheer Herberts heeft hem dit keer expliciet gevraagd zich eerst en vooral te richten op zijn verdedigende taken. Hij doet dat gehoorzaam, hoewel zonder succes.

Misschien is 'een gebogen flauwe w-formatie' ook een veel te mooie benaming voor iets wat in het veld toch altijd weer anders loopt. Papier was papier. In de praktijk moest het worden gedaan. En de praktijk was altijd weerbarstiger, dat bleek ook nu weer. Gelukkig zijn er nog tachtig minuten te gaan: voldoende tijd om iets te veranderen.

Beb is na het tikje tegen het leder van hun derde gezamenlijke aftrap achter zijn rug omgelopen; in de richting van het Duitse doel. Daarmee trekt hij een tegenstander mee. Hijzelf versnelt direct en passeert een Duitse speler. De achterstand is 2-0, maar Kick Smit is klaar om te 'swerven'.

IV

Gesproken woorden zijn slechts gesproken woorden. Dat begrijpt Joris van den Bergh, volgens velen behept met een ware gouden sportschrijvers-pen, donders goed. Toch kan hij het niet nalaten zijn in de rust gedane voorspelling uitgebreid te herhalen: zoals altijd weer zoekend naar de bevestiging van zijn gelijk.

'En? Joris? Wat zeg je er van?' hadden zijn collega's op de perstribune hem uitdagend gevraagd. Een 2-0 achterstand tegen een sterker spelend Duits team; dat was toch zeker kansloos.

'Het Duitsche spel is mijn inziens kapot te spelen,' had Van den Bergh met een serieus gezicht geantwoord. Al moest dan wel weer het vertrouwde 'echt vrije Hollandsche spel' gespeeld worden. Niet langer het Duitse safety-first-systeem na-apen. Maar op het middenveld stevig de duels ingaan en de bal snel naar voren schieten.

'Want de half-linie van de tegenpartij wordt bij het Hollandsche harde spel in de lengte steeds het kind van rekening,' zei Van den Bergh, waarna hij verschillende historische wedstrijden noemde waarin juist deze herkenbare Hollandse speltechniek succesvol was geweest.

En zie wat er is gebeurd na de rust.

Daaf Drok, ingevallen voor de geblesseerde linkshalf Leen Vente, maakte een kranige indruk. Dat gold ook voor Smit die, nog duidelijker dan in de eerste helft, zich ontpopt als de stuwende kracht – verdedigend, maar vooral ook aanvallend – achter een met nieuw elan spelend Nederlands elftal.

In de 49ste minuut verzorgden ze de eerste vuurpijl.

Aanvoerder Van Heel brengt linksbuiten Koos van Gelder in stelling met een diepe bal. De PSV'er snelt langs de Duitse back Erwin Stührk en geeft een lage voorzet in de richting van de penaltystip. Middenvoor Bakhuys schiet uit de draai, half vallend, de bal achter keeper Buchloh: 2-1.

Vijf minuten later, in de 54ste minuut, volgde de tweede vuurpijl.

Wederom staat Van Heel aan de basis van een snelle Nederlandsche aanval met een pass op Bakhuys. De middenvoor opent direct op linksbuiten Van Gelder wiens voorzet bij Smit – 'onze bok op de haverkist' – belandt. Drie Duitse tegenstanders, zes vijandelijke voeten, die allen de bal willen raken en de Swerver die doordrukt en met zijn linkerschoen afdrukt, waarna 't leer het Duitse net doet bollen: 2-2.

Voor de honderdduizenden radioluisteraars analyseert collega Han Hollander deze gelijke stand als een schoolvoorbeeld van het 'krankzinnige kwartier' of de 'gekke vijf minuten': een korte periode, meestal in de tweede helft, waarin het Nederlands elftal zijn tegenstander geheel overspeelde en die sinds het bewind van Karel de Kerel een herkenbaar wapen is geworden.

Op de perstribune zegt Van den Bergh dat een kortzichtige analyse te vinden. Het is de vrijheid om te spelen naar hun eigen karakter en aard die zo'n periode inluidt: de 'gekke vijf minuten' zijn nooit oorzaak, altijd gevolg. De oorzaak is een Nederlands team dat niet langer iets slecht nadoet, maar wondergoed het eigen spel speelt.

Tevreden kijkt Van den Berg naar weer een Nederlandse aanval. Hij verheugt zich op het verhaal dat hij straks mag gaan tikken. Het is een mooie gelegenheid zijn criticasters van repliek te dienen. Maar hij gaat dat op subtiele wijze doen. Hij gaat de bedenkers van deze behoudende tactiek bedanken voor het experiment. Want zoals Paulus reeds zei: onderzoek en behoud het goede.

'Het goede behouden uit dit experiment is: ons Nationale Elftal tegen welk land en tegen welke methode het ook moet strijden, ons eigen vrije Hollandsche spel te laten spelen. Het goed behouden beteekent in deze: geen bindende afspraken meer te geven, van Smit geen teruggetrokken speler meer te maken, laat hem maar zwerven, van een ploeg geen losse eenheden meer te maken.'

Ja, dat gaat hij schrijven.

V

'Offside! Offside!'

Ruim 27 000 Nederlanders en zo'n kleine vierduizend Duitse supporters hebben de Duitse middenvoor Edmund Conen de bal diagonaal zien passen richting rechtsbuiten Ernst Lehner en rechtsbinnen Karl Hohmann. Het is de 82ste minuut, de stand is nog steeds 2-2 en er staan twee Duitse spelers overduidelijk buitenspel.

De grensrechter vlagt en de Nederlandse backs, Van Diepenbeek van Ajax en Van Run van PSV, stoppen met lopen. Het tweetal heeft niet bewust de buitenspelval geopend. Sinds de verandering van de spelregel in 1925 – tussen aanvaller en doellijn dienen niet meer drie, maar twee spelers van de tegenpartij tussen aanvaller en doellijn te staan als voorwaarde om niet buitenspel te staan – is dat immers stukken lastiger geworden. Maar dit is duidelijk buitenspel. Ze steken allebei de hand omhoog en wachten op het arbitrale fluitsignaal.

De Zweedse scheidsrechter Ohlsson, al de hele wedstrijd niet erg best, volgt het Nederlandse appelleren en fluit. Tenminste, daar leek het toch echt even op. Maar tot verbazing van iedereen, inclusief de met de bal verder dribbelende Hohmann, is het teken van Ohlsson bedoelt voor de grensrechter.

Voortgaan, gebaart de Zweed, waarna Hohmann inderdaad voortgaat en de bal eenvoudig langs keeper Leo Halle puntert: 3-2 in het voordeel van Duitsland. De hevige protesten van de Nederlandse spelers, voorzien van een fluitconcert vanaf de tribunes, negeert Ohlsson. Er dient te worden afgetrapt. Als Beb de bal weer naar Kick tikt is het enthousiasme verdwenen, de voetbalmoraal gebroken. Dat geldt voor de spelers op het veld, maar ook daarbuiten. Het Nederlandse publiek beweegt zich ruim voor het eindsignaal al massaal richting uitgangen. De recente scheidsrechterlijke dwaling wordt omlijst met krachttermen.

Ook Lotsy is opgestaan en na het laatste fluitsignaal loopt hij richting het veld. Wim Anderiessen loopt in zijn richting. De spil heft beide armen en schouders omhoog ten teken van ongeloof over het optreden van Ohlsson. Lotsy antwoordt met hetzelfde gebaar. De Duitse supporters vieren de overwinning inmiddels met het scanderen van 'Heil Hitler'.

Lotsy hoort het, maar het kan zijn goede gemoed niet verstoren. Problemen zijn er nauwelijks geweest: geen verontrustende wanklank of politieke uiting. De gesprekken gaan – ook dankzij Ohlsson – over de wedstrijd. En! Hij is verliefd! Zo'n beetje Duits geschreeuw na een ongelukkige nederlaag verandert daar helemaal niets aan.

VI

Op 30 januari 1936 hertrouwde de inmiddels gescheiden Lotsy in Londen met Ali Beltman, zijn nieuwe liefde en inmiddels ook gescheiden van haar man. Datzelfde jaar besloot de KNVB ondanks een hernieuwd elan bij het Nederlands elftal geen team af te vaardigen naar de Olympische Spelen van 1936. Het IOC hanteerde zulke strikte regels betreffende de amateurstatus van spelers dat de voetbalbond dacht geen representatief team op de been te kunnen brengen. Natuurlijk waren alle internationals amateur, maar sommige ontvingen vergoedingen voor werkverzuim als gevolg van interlands. Dat mocht niet van het IOC.

Lotsy probeerde in zijn functie als bestuurslid van het NOC deze strikte regels te veranderen, maar dat was tevergeefs. Zelf bezocht hij als *chef de mission* van de Nederlandse Olympische ploeg wel de Olympiade te Berlijn. Dat Hitler dit sporttoernooi zou gaan gebruiken als propagandamiddel geloofde hij niet. Voor vertrek zei hij tegen een journalist dat 'de aanstaande Spelen zich in geen enkel opzicht zouden onderscheiden van alle vorige; enigerlei politiek zal daaraan volkomen vreemd zijn'.

Afwezig in Berlijn reisde het Nederlands elftal in januari 1937 wel af naar Düsseldorf voor een vriendschappelijk duel tegen Duitsland. Wederom was er gesteggel over het *Horst Wessellied*. Deze keer werd het wel gespeeld, maar op gezag van TC-lid Ferry Triebel stonden de Nederlandse spelers er tijdens het *Horst Wessellied* uitgesproken nonchalant bij. Na afloop van de wedstrijd, einduitslag 2-2, volgde als vanzelfsprekend een banket. Nadat de Duitse bondsvoorzitter Linneman een toost uitbracht op de gehele Nederlandse delegatie, nam zijn collega-voorzitter D.J. van Prooye het woord. 'Graag hef ik het glas op de gezondheid van het Duitse volk,' zei hij. 'En op zijn leider: rijkskanselier Adolf Hitler.'

4

Vergeet de bal

31 maart 1940
Rotterdam, aanvang 14.30 uur
Vriendschappelijk duel in het Feyenoordstadion De Kuip
Nederland – Luxemburg 4-5

De toekomstige vedette van het Nederlandse voetbal zwijgt. Geconcentreerd kijkt hij richting de tribunes. Voor even is zijn blik vol overtuiging van eigen kwaliteiten. Straks gaat het gebeuren. Straks speelt hij zijn eerste officiële interland voor het Nederlandse A-elftal. Straks gaat hij scoren. Straks weet iedereen waarom hij, Abe Lenstra, als negentienjarige linksbinnen van de Friese VV Heerenveen op dit niveau thuishoort.

'Hé, trek je kous eens op!' Een official van de KNVB wees hem zonet nog op zijn voetbalkledij. Lenstra speelde bij zijn club inderdaad graag met afgezakte kousen, maar dit was onbedoeld: zijn grote scheendekkers hadden het elastiek opgerekt en hij had dit proberen op te lossen met een extra zwart paar. Dat de official hem 'Fries boertje' noemde raakte hem diep, maar hij trok de dubbele kousen snel op en deed alsof hij die opmerking niet hoorde.

Nu het Nederlandse volkslied klinkt oogt Lenstra ineens weer timide. Hij heeft zijn beide armen strak langs het lichaam. De scheiding in zijn gekuifde haar zit aan de linkerkant. Zijn rug is licht gekromd. Deze hem typerende lichaamshouding valt extra op door de vooruitgestoken borst van de spelers direct naast hem: rechtsbuiten Guus Dräger van DWS uit Amsterdam en kanthalf Arie de Vroet van Feyenoord uit Rotterdam.

Nederland-Luxemburg

Zo met zijn elven op een rij voor de nationale hymne wordt direct duidelijk wie van de Nederlands elftalspelers de lange mouwen van het oranje shirt heeft opgerold. Linksbuiten Ko Bergman en rechtsback Kees Slot, beiden van Blauw Wit uit Amsterdam, linksback Herman Choufoer van het Haagse ADO, spil Jan Poulus van SVV uit Schiedam en hijzelf, Abe Lenstra: vijf man met opgestroopte mouwen, waarvan de laatste vier debuteren in het Nederlands elftal.

Hij beschouwt de wedstrijd tegen Joegoslavië, vorig jaar tijdens de Olympische dag, als de start van zijn loopbaan in de Oranje-elf. Op zondag 11 juni 1939 speelde hij in het Amsterdamse Olympisch Stadion tegen Joegoslavië als rechtsbinnen van het zogenaamde bondselftal. Volgens officials, de leden van de Keuze Commissie

(KC) en het journaille telde het niet als een officiële interland. Maar Lenstra heeft lak aan dergelijk officieel geneuzel.

Misschien komt dat zelfgekozen interlandbegin ook wel doordat hij tegen Joegoslavië al na precies honderdvijftig seconden had gescoord. Na de aftrap was linksbuiten Bertus de Harder direct aan een ren begonnen en in de buurt van de achterlijn gaf deze speler van VUC uit Den Haag de bal hoog voor, waarna Lenstra, hoger springend dan iedereen, het leer met het hoofd hard in het Joegoslavische doel kopte: 1-0 in een wedstrijd die uiteindelijk met 4-1 werd gewonnen.

Na afloop zag Lenstra een foto, gemaakt vlak voordat zijn debuutgoal doel trof: hij zweefde, mooi in balans, bijna één meter boven het veld, terwijl tegenstander Posega met beide benen op de grond stond.

Timing, daar gaat het om. Er is altijd maar één goed moment en dat moment dien je in de wedstrijd zelf vast te stellen. Het is een kwestie van aanvoelen. Juiste timing brengt doelpunten voort. En doelpunten leiden weer tot overwinningen. Veel ingewikkelder is voetbal niet.

Het publiek had hem die dag behoorlijk verrast: bijna 50 000 toeschouwers in het Olympisch Stadion juichten zich een halve rolberoerte na die kopgoal. Zoveel drukte voor zo'n eenvoudig doelpunt: dat kende Lenstra niet bij Heerenveen. Daar moest hij nog wel aan wennen.

In de volgende wedstrijd van het Nederlands elftal kreeg hij direct weer een kans. Op 10 december 1939 was tegen België gespeeld, net als nu in de Rotterdamse Kuip. De wedstrijd ter ere van het vijftigjarig bestaan van de KNVB eindigde in een 5-2 overwinning. Hij had één keer gescoord, maar deze goal was door een scheidsrechterlijke dwaling afgekeurd wegens buitenspel. Ook deze match gold vanwege het jubilerende karakter niet als een officiële interland. Dat kan Lenstra weinig schelen: zijn loopbaan in de Oranje-elf is immers al begonnen. En het nare gedoe met midvoor Leen Vente van Feyenoord probeert hij te vergeten. Belangrijker is dat hij in beide wedstrijden had gevoetbald met Kick Smit, sinds jaren een grootheid in het Nederlands elftal en net als hij een echte linksbinnen.

Ze vervullen deze positie in de voorhoede natuurlijk compleet anders. Hij blijft, zoekend naar een kans om te doelpunten, veelal hangen in de voorste linie: 'een goed plaatsje in de vuurlinie zoeken', noemt hij dat. Smit is meer een 'zwoeger'; heeft het vermogen over het veld te zwerven, de bal zelf op te halen in de verdediging en deze dan op te brengen. Tegelijkertijd is hij ook een begaafd technicus.

En juist met dat technische vermogen maakte de in Haarlem geboren Smit op hem in zijn jeugd een onuitwisbare indruk. Het was een uitwedstrijd tegen België, waarin hij als zwervende linksbinnen ineens opdook aan de rechterkant van het veld. Wat Smit toen deed zou Lenstra nooit, nooit, nooit meer vergeten.

Met één lichaamsbeweging bracht hij zijn Belgische tegenstander, een gewiekste mannetjesputter, in de waan hem langs diens linkervoet te willen passeren: buitenom dus. Maar in plaats van de bal mee te nemen liet Smit deze liggen en liep zonder dit leder richting de hoekvlag. De Belg volgde gedwee.

Daarop zette Smit zijn linkervoet vast in het gras en inmiddels met de rug naar de stilliggende bal, draaide hij het lichaam ruim honderdtachtig graden rechtsom, waardoor hij direct de mogelijkheid had de bal met zijn linkerbeen hard op doel te schieten. De Belgische keeper tikte het verrassende schot net naast.

Het publiek joelde en schold de voor schut gezette verdediger de huid vol. En de jeugdige Lenstra dacht: zo kan het dus ook. Je tegenstander passeren door de bal te vergeten. Ook hier was timing cruciaal. De truc 'vergeet de bal' werkte alleen maar als je daarvoor het juiste moment koos.

De laatste noten van het *Wilhelmus* klinken. De negenentwintigjarige Smit is er vandaag niet meer bij. Hij heeft gekozen voor de Katholieke Voetbalbond; volgens de kranten vanwege de hem geboden financiële zekerheid. De 7-1 nederlaag in en tegen België, precies twee weken geleden en inmiddels gedoopt tot het 'Debacle van Antwerpen' was zijn laatste interland. Lenstra deed daar niet mee, maar vandaag dus wel. Vandaag mag hij debuteren op zijn favoriete positie. Misschien niet tegen de meest aansprekende tegenstander, maar wel op zijn eigen plek. Weer wat meer overtuigd van zijn eigen kwaliteiten kijkt hij naar het vele publiek in de Kuip.

Straks gaat het gebeuren. Straks gaat hij scoren. Straks weet iedereen waarom hij de beste linksbinnen van Nederland is.

I

'Het zou een zeer korte oorlog kunnen zijn – misschien zou er geen oorlog zijn geweest – indien alle neutrale staten, die onze overtuigingen ten aanzien van fundamentele zaken delen en openlijk of in het geheim met ons sympathiseren, naast ons zouden zijn gaan staan.'

Op 30 maart 1940, de avond voor de officiële debuutwedstrijd van Abe Lenstra in het Nederlands elftal, sprak de Britse minister-president Winston Churchill een radiorede uit waarin hij uitleg gaf over de situatie in Europa. Na de inval in Polen op 1 september 1939 door nazi-Duitsland verklaarden Groot-Brittannië en Frankrijk twee dagen later de oorlog aan Duitsland. Sindsdien werd er nauwelijks gevochten, maar aan deze Schemeroorlog, *Phoney War*, *Sitzkrieg* of *Drôle de Guerre*, zoals deze geweldloze periode werd betiteld, zou volgens Churchill een einde komen. Hij sprak van een 'verscherping van de strijd'. Waarbij hulp van neutrale staten niet noodzakelijk was, maar zeker wel welkom. Een van deze neutrale staten was Nederland.

Enkele dagen voor de Poolse inval riep de Nederlandse regering, na geheim overleg met Frankrijk, wel de algehele mobilisatie uit, waardoor al enkele maanden ruim 300 000 militairen over het hele land waren gelegerd. Toch dachten weinig Nederlanders aan de mogelijkheid van een daadwerkelijke inmenging in de oorlog.

Daarvoor koesterde men te veel de neutraliteit, zoals het land die tijdens de Groote Oorlog had behouden.

Ook Karel Lotsy behoorde bij die groep, hoewel hij sinds de mobilisatie consequent rondliep in het militaire kostuum van reservekapitein voor speciale diensten. Hij dankte die rang aan het verzoek van de Generale Staf om in de speciaal voor de mobilisatietijd opgerichte sectie Ontwikkeling en Ontspanning (O. en O.) van de landmacht, de afdeling Sport te organiseren. Al langer was het fysieke vermogen van het leger ondermaats, maar met de mobilisatie was dat schrijnend duidelijk geworden. Karel de Kerel was vanwege zijn goede naam als sportbestuurder en organisator de aangewezen man voor deze taak en hij was direct aan de slag gegaan.

Naast verbeteren van de conditie van alle soldaten en van de omstandigheden waaronder zij konden sporten zag Lotsy kans nog een ander plan te starten: het houden van militaire competities die voor het publiek toegankelijk waren. Zijn voorstel daartoe werd eind september naast de KNVB ook omarmd door de andere actieve voetbalbonden: de rooms-katholieke, de christelijke en de socialistische.

De mobilisatie had directe gevolgen gehad voor de vaderlandse voetbalcompetitie. Doordat opgeroepen spelers kriskras over het land waren verdeeld, was een noodcompetitie ingesteld, zonder promotie en degradatie en met een aangepast wedstrijdschema. De nog te spelen matches hoopten zich elk weekeinde meer en meer op. Ook besloot de KNVB niet langer tegen oorlogslanden te spelen, waardoor bondsbestuurder Lotsy, nog steeds verantwoordelijk voor de organisatie van voetbalinterlands, beperkt werd in de keuze van de tegenstander. Als reservekapitein bij de landmacht probeerde Lotsy waar mogelijk het Nederlands elftal te laten profiteren van zijn contacten.

Zo regelde hij voor de jubileumwedstrijd voor het vijftigjarige bestaan van de KNVB tegen België op 10 december dat alle gemobiliseerde internationals al op donderdagavond aanwezig waren aan de Haagse Schenkkade. Vanwege het belang van deze wedstrijd waren in de Wondertent weer verschillende bijeenkomsten belegd. De eerste keren waren onwennig vanwege allerlei nieuwe spelers die onbekend waren met de ambiance op het VUC-terrein. Maar de vaste groep van begin jaren dertig werd kleiner en het was de taak van KC-voorzitter Herberts om opnieuw een winnend elftal te kiezen.

Op de laatste donderdag voor de wedstrijd had Herberts tijdens de vertrouwde thee en gevulde koeken, naast het geven van wat tactische aanwijzingen aan Vente en Smit, zich ook nadrukkelijk tot de jongeren gericht. Laat de in de afgelopen jaren opgebouwde reputatie van het Nederlandse voetbal voortbestaan, had hij gezegd. Waarna hij zich specifiek tot de jonge, die dag rechtsbinnen spelende Abe Lenstra richtte.

'Abe, laat jouw noordelijke spel voor even varen. De opbouw verzorgen anderen. Het is voor jou zaak vooral in de voorhoede te zijn,' zei Herberts. Daar lagen mogelijkheden, zeker wanneer ook Leen Vente, de centervoor, onvermoeibaar zou zwoegen en onrust wist te stoken in de Belgische achterhoede.

Lenstra had enkel geknikt. Zoals hij dat vaker deed in zulke situaties. De meesten zagen het als stug Fries gedrag. Slechts een enkeling herkende schroom bij de jonge voetballer. Vente hoorde daar niet bij. Anders was zijn gedrag gedurende die wedstrijd helemaal onverklaarbaar.

'Hier die bal! Naar mij toe! Jij kan d'r toch niks van.'

'Lelijke boer!'

'Grote sufferd!'

'Broekie, donder op naar je boerenland.'

Vanaf het eerste fluitsignaal was negentienvoudig international Vente tegen hem tekeergegaan. Onbegrijpelijk gedrag van zo'n grote voetballer. Het liefst was Lenstra van het veld gelopen, maar hij had de schoffering tot aan het einde van de wedstrijd volgehouden. Daarna was hij naar de kleedkamer gerend, had zich omgekleed en was direct vertrokken. Bij het banket was hij afwezig. Met zulke medespelers had je geen tegenstanders meer nodig.

Op 30 maart 1940 – de avond voordat Lenstra zijn officiële debuut in het Nederlands elftal zou maken – richtte minister-president Winston Churchill zich in de radiorede nogmaals tot de internationale gemeenschap. 'Van neutrale staten, die het ongeluk hebben buren van Duitsland te zijn, worden de gevaren en hun standpunt begrepen. Maar het zou niet juist zijn of in het algemeen belang, dat hun zwakheid de kracht der agressor zou voeden en den beker van menselijke rampen tot overloopens toe zou vullen.'

II

Vergeet 't. Vergeet 't. Even maalde die denigrerende opmerking van de bondsofficial weer door het hoofd van Lenstra. Fries boertje... Fries boertje... laat het gaan, vergeet 't. En als Nederland na de Luxemburgse aftrap in balbezit komt en direct via rechtshalf Bas Pauwe en rechtsbuiten Guus Dräger de aanval zoekt is Lenstra het weldra vergeten.

Kijk, daar mag Nederland dankzij Dräger al zijn eerste hoekschop nemen. De bal komt voor en Lenstra zet er direct de schoen tegen. Zijn schot vliegt ruim een meter over het doel. Volgende keer vast beter.

Na een alarmerend gevaarlijke kogel van de voet van Luxemburgse rechtsbuiten Emile Everard in 't zijnet volgt weer een goede Oranje-attaque. Rechtsbinnen Daaf Drok schiet van ver, maar zijn poging treft slechts de lat. Daarop schiet centervoor Bér Vroomen, vandaag vervanger van Leen Vente, het terugstuitende leder direct op het doel, maar de Luxemburgse keeper Jean-Jacques Jaeger retourneert voortreffelijk. Als Dräger de bal vervolgens naast schiet mogen de Luxemburgers doeltrappen.

Het Nederlandse team zoekt veelvuldig de rechterkant waardoor Lenstra in de eerste tien minuten weinig aan de bal komt. Ook nu is het rechtshalf en veelvuldig international Paauwe die het leer handig opbrengt. Hij passeert een tegenstander, en nog één, waarna zijn zuivere pass belandt bij Dräger, die Drok de diepte in zendt. Lenstra loopt mee en kiest positie rond de strafschopstip. De lage voorzet van Drok is goed. Lenstra kan de bal direct op doel schieten. Keeper Jaeger heeft het nakijken. Doelpunt!

Het is hem gelukt: spelend op zijn favoriete plek, linksbinnen, heeft Lenstra gescoord in het Nederlands elftal. Uit pure blijdschap steekt hij kort de linkerhand in de lucht. De ruim 25 000 toeschouwers op de tribune juichen uitbundiger. Er wordt gehost, op en neer gesprongen en petten en hoeden worden met een flukse boog de lucht in gegooid. Wat een schot! Dat Friese boertje kan duidelijk wel wat. Pas tien minuten gespeeld in het Oranje en nu al een doelpunt. 1-0 voor Nederland. Deze wedstrijd wordt een regelrechte walk-over.

III

'De commissie zucht: wij hebben geen uitblinkers meer! En over het algemeen laat de pers dezelfde verzuchting hooren. In die verzuchting treedt de fout naar voren. de commissie zoekt naar uitblinkers. Zij wacht er op. Hiermede geeft de commissie te kennen: wij kunnen geen puik zangkoor samenstellen zonder 'n collectie uitblinkende zangers. Nu... als een collectie uitblinkende zangers de voorwaarde was... dan bestond er geen enkel puik zangkoor. En toch zijn die er!'

Het was donderdag 18 december 1930, de dag van de ingezonden brief van de Rotterdammer Van Biene, dat sportschrijver Joris van den Bergh de lezers van het officieel orgaan van de KNVB, *De Sportkroniek*, deze redenering voorschotelde. Hij schreef de zinnen in het laatste deel van het vermaarde drieluik – de andere twee waren 'Voetbal en Concentratie' en 'Voetbal en Volksaard' – waarin hij zich direct richtte tot de Keuze Commissie en het stuk had als kop: 'Als we maar uitblinkers hadden, ja! Dan...'

Bijna tien jaar later hadden deze woorden dezelfde geldingskracht.

De details waren natuurlijk anders. Destijds werd Harry Dénis gemist, nu waren dat Beb Bakhuys, Wim Anderiessen en Kick Smit. KC-voorzitter Herberts had een nieuw principe aan het keuzebeleid toegevoegd: 'twee bruikbare spelers voor elke plaats'. En de oorzaak van het verdwijnen van de ware voetbalcracks was ook steeds vaker financiële verlokkingen. Beb Bakhuys speelde al enige tijd als prof bij FC Metz. En ook Kick Smit koos, ondanks zijn relatief jonge leeftijd van 29 jaar, voor het spelen bij HBC uit Heemstede in de Katholieke Bond omdat hij daar een baan bij uitgeverij Spaarnestad kreeg en ook als bezoldigd trainer aan de slag kon.

Maar verder pasten de reacties op de 7-1 nederlaag tegen België – het inmiddels bekende 'Debacle van Antwerpen' – naadloos bij die van begin jaren dertig. Ook nu was er sprake van een serieuze voetbalcrisis. En ook nu was het zaak dat de KC ingreep zonder daarbij veel onrust te veroorzaken. De dagbladen stonden de afgelopen twee weken vol met de best bedoelde adviezen. De rode draad was de noodzaak van verjonging van de selectie en de zware taak die daarmee rustte op de schouders van vooral KC-voorzitter Herberts. Zo schreef Hans Meerum Terwogt, de eminente voetbalkenner en inmiddels ruim veertig jaar als sportredacteur verbonden aan de *NRC*: 'Er zullen natuurlijk nog wel weer eens "groote" spelers komen, al zien we die nu nog niet bij een vluchtigen blik op de 572 eerste klas voetballers, die Nederland zich aanmatigt te hebben.'

In de dagen voorafgaande aan het duel tegen Luxemburg werd duidelijk dat de KC met vijf debutanten koos voor een aanzienlijke verjonging. In vergelijking met het Antwerpse debacle waren zelfs negen nieuwe spelers uitverkoren. Tijdens het laatste samenzijn in de Wondertent bedankte Herberts de afgezwaaide Kick Smit voor datgeen wat hij voor het Nederlands elftal had gedaan en benadrukte hij dat Luxemburg mogelijk sterker was dan gedacht, ook omdat zij op de hoogte waren van het 'Debacle'. 'Speelt daarom met de inzet van al uw krachten. En zorg voor den wederopbloei van het Nederlandsche voetbal.'

Opvallend was verder de opmerking van Herberts tegen de aanwezige journalisten over de door hen geuite adviezen. ‘Met opzet heb ik de meeningen der dagbladen niet gelezen, om een persoonlijk en volkomen zelfstandig oordeel te kunnen vormen, ten einde de zaak in het rechte spoor te brengen.’

IV

Oefenmeester Bob Glendenning loopt langs de rand van het veld. Hij heeft zojuist rechtsbinnen Daaf Drok met een natte spons opgelapt. Bijna teruggekeerd bij de Nederlandse reservebank ziet hij vanuit zijn ooghoeken hoe Luxemburg voor de vijfde keer deze middag scoort. Het is de 77ste minuut en Nederland kijkt tegen een 5-3 achterstand aan. Kort na het snelle doelpunt van Lenstra bleek dat Herberts terecht had gewezen op de sterkte van Luxemburg. Het kleine voetballand stond na twintig minuten al volkomen terecht op een 2-1 voorsprong. Nederland was daarna wel weer gelijk gekomen dankzij een vrije trap van Bas Paauwe die door doelman Jaeger in zijn eigen doel werd gewerkt.

Het was zijn enige fout want de Luxemburgse doelman presteerde verder meer dan uitstekend. Zo pareerde hij een goede kans van Lenstra om Nederland op een voorsprong te zetten. En zag Jäger zijn medespelers voor en na de rust nadrukkelijk gaten in de Hollandse defensie schieten. Bij een 2-4 stand bracht Drok in de 68ste minuut met een geslaagd schot de spanning terug. Maar de goal van de Luxemburgse rechtsbuiten Emile Everard van zojuist heeft de Nederlandse hoop wederom de bodem ingeslagen. Wat nu?

Wat volgt is een spannend laatste kwartier waarin Nederland dankzij een schot van verre door linksbuiten Ko Bergman nog wel een vierde treffer scoort, maar een gelijkspel gelukt het team niet meer. De eindstand is 4-5.

Het ‘Debacle van Antwerpen’ is niet weggepoetst, integendeel. De crisis in het Nederlandse voetbal is versterkt blootgelegd met de 'Schande van Rotterdam'. Deze betiteling is een vondst van radioreporter Han Hollander. Elders op de perstribune noteert NRC-journalist Meerum Terwogt op een kladje ook alvast enkele bruikbare zinnen voor een van zijn columns voor de komende week. 'Mannenbroeders, om een goed elftal samen te stellen moet men goede spelers hebben; voor een waarlijk "groot" elftal behoeft men "groote" spelers. Die tijd is voorbij. We hebben nu middelmatige spelers en krijgen dus een middelmatig elftal.'

V

'Mijn volk, nadat ons land met angstvallige nauwgezetheid al deze maanden een stipte neutraliteit had in acht genomen en terwijl het geen ander voornemen had dan deze houding streng en consequent vol te houden, is in de afgelopen nacht door de Duitse weermacht zonder de minste waarschuwing een plotselinge aanval op ons gebied gedaan.'

Aldus begon op 10 mei 1940 de op de radio voorgelezen proclamatie van koningin Wilhelmina. De neutraliteit was voorbij. Nederland was in oorlog.

Abe Lenstra, inmiddels tweevoudig international, was die vrijdagochtend net als veel van de andere geselecteerden van het Nederlands elftal op weg geweest naar het Rotterdamse hotel Excelsior. Hij ging zich daar melden voor de voorbereiding op de revanchewedstrijd tegen Luxemburg, twee dagen later. De selectie, ditmaal zonder de gemobiliseerde spelers De Vries van VSV en De Vroet en Vente van Feyenoord, zou per trein afreizen naar het groothertogdom. Het Debacle van Antwerpen was op 21 april al gewroken met een 4-2 overwinning in een thuiswedstrijd tegen de Belgen. Deze zondag moest een overwinning op Luxemburg volgen.

Zover kwam het niet. Op 15 mei, daags na het bombardement op Rotterdam, capituleerde Nederland. De troepen van Hitler namen bezit van het land. Al vrij snel na de Duitse bezetting kreeg het dagelijkse leven weer een vertrouwde vorm. Op 21 mei stond op de voorpagina van *Sport in Beeld / De Revue der Sporten* te lezen: 'Het Nederlandsche volk is nimmer gewend geweest bij de pakken neer te zitten. Het late zich nu van zijn beste zijde zien en erkenne in de sport één der factoren, welke kunnen bijdragen tot het welzijn van lichaam en geest.'

Het daaropvolgende weekeinde werd, net als bij vele andere sporten, de lopende voetbalcompetitie hervat. Op zondag 26 mei 1940 viel in stadion De Meer van Ajax ook eindelijk de beslissing in de hoofdstedelijke militaire competitie. Na twee eerdere gelijke spelen won in de derde beslissingswedstrijd het team van de Zoeklichten met 2-1 van de Luchtdoelartillerie. Een terechte uitslag volgens de journalist van dienst omdat de zoeklichten 'het beste voetbal speelden'. 'De minuut stilte die voor den aanvang van den wedstrijd betracht werd ter nagedachtenis aan de gevallen Nederlandsche strijders maakte diepen indruk op de aanwezigen.'

5

Op weg naar het einde

27 november 1946
Huddersfield, aanvang 14.15 uur (Engelse tijd)
Vriendschappelijk duel
Engeland – Nederland 8-2

Het liefst hadden ze hem direct een contract laten tekenen. Om welke club het precies ging was niet duidelijk, maar dat hij de kwaliteiten van een professionele voetballer had kon iedereen zien. Wie op het allerhoogste niveau, tegen 's werelds beste voetballers, zo overtuigend kon dribbelen behoorde op dat allerhoogste niveau te spelen.

Zo'n 15 000 Engelse ponden voor een transfer? Menige Engelse profclub zou met plezier een dergelijk hoog bedrag betalen voor de rechtsbinnen van het Nederlands elftal: helemaal na diens uitmuntende prestatie tijdens de zojuist gespeelde interland tussen de Engelse profs en het Nederlands elftal.

Tommy Lawton, de vorig jaar door Chelsea van Everton voor 10 000 pond gekochte midvoor van het Engelse nationale team en in de afgelopen anderhalf uur maker van vier doelpunten: 'Wat een speler is dat!'

De voetbaljournalist van de Engelse krant *Daily Herald*, inmiddels op weg naar een telefoon om zijn bevindingen van de wedstrijd door te bellen naar de redactie: 'Het briljante aanvalsspel der Nederlanders verbaasde. Aan de rechterkant speelde toch zeker een van de beste binnenspelers van het continent.'

Zijn collega van de *Daily Express*, ook al zoekende naar een

Engeland-Nederland

vrije telefoonlijn: 'Nederland bezat slechts één speler van klasse die, in een beter milieu, niet voor een Carter of Mannion zou hebben ondergedaan.'

En de klassespeler in kwestie, de drieëntwintigjarige Rotterdamse verhuizerszoon Faas Wilkes van Xerxes, wordt ondertussen op weg richting de kleedkamer door verschillende Nederlandse supporters aangeklampt. Hij krijgt complimenten en schouderklopjes. En hoewel Wilkes weet dat hij goed heeft gespeeld verbaast alle aandacht hem. Alsof de pijnlijke einduitslag van de wedstrijd van generlei belang meer is.

Eenmaal in de Nederlandse kleedkamer is de stemming uitgelaten noch mat. Ze hebben gespeeld. Ze hebben verloren. Ze hebben zelfs dik verloren. Maar omdat het laatste doelpunt van de wedstrijd er eentje van Nederland was: een prachtig schot van Kick Smit, met enige draaiing geplaatst in de bovenhoek, en ook omdat ze in het laatste kwartier vrijwel gelijkwaardig waren aan de Engelse profs, is de stemming in de spelersgroep lang niet slecht.

Wilkes kijkt om zich heen. Nauwelijks een week geleden zat hij met zijn Rotterdamse teamgenoten Arie de Vroet en Bas Paauwe, ook vandaag weer aanvoerder, in het café van Paauwe. Via de telefoon hadden ze daar gehoord over hun selectie. Dat kwam niet onverwacht. Verrassend was wel dat de Keuze Commissie had besloten Gerard Kuppen, onlangs van Feyenoord overgestapt naar Sittardse Boys, te passeren als spil.

'Herberts weet het beter,' had Arie gezegd. 'Ze praten nou nooit eens met ons. Ze vragen nou nooit eens wat een aanvoerder ervan denkt. Nee, die lui denken dat ze de wijsheid in pacht hebben.'

Met 'die lui' bedoelde Arie naast Herberts ook Miel Mundt en Ferry Triebel, het drietal dat net als voor het uitbreken van de oorlog de Keuze Commissie vormde. Wilkes was door hen kort na de bevrijding benaderd om met het bondselftal te spelen tegen het British Liberation Army: een team van Engelse professionals. In een stampvol Feyenoordstadion hadden ze een 3-0 nederlaag geleden. De ruim 60 000 aanwezigen, allemaal te voet naar het stadion gekomen, lopend door het nog steeds in puin liggende Rotterdam, hadden desondanks genoten. Eindelijk, Nederland speelde weer internationaal.

Net als vandaag kreeg Wilkes na afloop veel complimenten. Dat gebeurde ook bij zijn officiële debuut in het Nederlands elftal, in maart van dit jaar, een 6-2 winst in en tegen Luxemburg. En ook weer bij de interland daarna, thuis tegen de Belgen, een 6-3 winst. Met zeven doelpunten, vier bij zijn debuut, drie tegen België, had Wilkes de complimenten ook zeker verdiend. Maar tijdens het laatste duel had, meer dan de doelpunten en zijn eigen spel, het publiek grote indruk gemaakt op Wilkes. Het ganse Olympisch Stadion zong het *Wilhelmus* alsof de aanwezigen daarmee nogmaals de oorlog wonnen. En hij was vanaf de eerste tonen van het volkslied gegrepen door een zwaaiende dame op de tribune.

Ali! Mooie Ali! Lieve Ali! Ruim tien jaar geleden kon Karel Lotsy aan weinig anders denken dan aan Ali Beltman, zijn toekomstige, tweede vrouw. En voor deze eerste officiële thuisinterland na de bevrijding had hij, inmiddels als voorzitter van de KNVB, haar meegekomen. Was het doping? Was het een vorm van voetbalbetovering? Wilkes wist het niet. En vrij snel nadat het was gebeurd had hij het alweer naar de achtergrond verdrongen.

Maar gedurende die eerste tonen van het *Wilhelmus* was Aaltje Lotsy-Beltman voor Wilkes een mysterieuze vrouw die naar hem zwaaide. Een vrouw die hij niet kende, maar met wie hij overduidelijk contact maakte. Lang duurde het niet. Wilkes had het bewegen van haar vingers beantwoord met het bewegen van de zijne. Totdat hij ineens zag dat het de vrouw van Lotsy was.

Betrapt? Geschrokken? Onder de indruk? Wilkes was het op dat moment waarschijnlijk allemaal, maar hij vergat dit weer zodra de wedstrijd begon.

Dat het een terugkerend voorval zou worden wist hij nog niet. Net zoals hij toen ook de einduitslag van de wedstrijd nog niet wist. Toch zou hij ooit dat kleine moment met de vrouw van Karel de Kerel uitgebreid omschrijven. 'Ik wist precies waar ze stond in de erelogeen als ik keek zag ik dat lichte gebaar van haar arm en de beweging van haar vingers. Ze glimlachte en ik glimlachte terug en bewoog ook mijn vingers. Daarna keek ik weer recht voor me en stond strak in de houding om naar het Wilhelmus te luisteren. Haar gebaar deed altijd weer opnieuw mijn hart opspringen, het was altijd opnieuw een inspiratie voor me.'

Destijds had hij dus drie doelpunten gemaakt tegen de Belgen. En die fijne voetballer Kuppen had spil gespeeld. En net zoals tegen het British Liberation Army had hij op het veld een prima drietal gevormd met Paauwe en De Vroet. Ze kenden elkaar ook goed van Feyenoord en wisten precies hoe ze ook verdedigend hun mannetje moesten staan.

Waarom had de KC dan besloten om Kuppen te passeren en

Arie Vermeer van Excelsior – geen misse voetballer, maar verdedigend toch de mindere van Kuppen – zomaar ineens tegen Engeland te laten debuteren? Wilkes begreep dat vorige week in de kroeg van Paauwe al niet. En na deze alles kantelende nederlaag begrijpt Wilkes er nog minder van.

I

De toonbank hadden ze verplaatst. Dat was Jany van der Veen verteld, omdat het tenslotte pas zijn eerste bezoek aan de kantine van VUC aan de Haagse Schenkkade betrof. Los van die ingreep was de Wondertent de oorlogsjaren vrijwel ongeschonden doorgekomen. Op 3 maart 1945 had een bombardement van de geallieerden op een naburige V2-bommenopslag van de Duitse bezetter voor enige schade gezorgd. Maar dat was voor deze eerste ontmoeting na de bevrijding, van de 'Nederlands Elftal Club' allemaal weer gerepareerd.

Herberts stond tijdens de teambespreking stil bij de internationals die de oorlog niet hadden overleefd: Ajacied Wim Anderiesen en Piet Dumortier van DOS uit Utrecht, beide overleden aan een ziekte. Hij richtte zich tot de nieuwelingen binnen de selectie van achtentwintig spelers en benadrukte de eer van de uitnodiging en de plicht om te presteren. En verder zei de KC-voorzitter dat de vaste avond voor centrale trainingen met het Nederlands elftal voortaan dinsdag zou zijn.

Daarna nam Herberts de tijd voor een journalist van het katholieke dagblad *De Tijd* om over de toekomst van het Nederlands elftal te spreken. Rooskleurig zag hij deze. Zoals bekend was het Nederlands elftal 'technisch niet daverend'. Maar net zoals in het verleden zouden goede prestaties het gevolg zijn van de voor Nederland zo kenmerkende eensgezindheid, kameraadschap en enthousiasme.

Van der Veen, de achtentwintigjarige spil bij Ajax en op het allerlaatst nog aan de selectie toegevoegd, had goed geluisterd tijdens de bespreking en keek zijn ogen uit op deze voor het Nederlandse voetbal historische plek. Niet wetende wat hij allemaal nog meer zou gaan zien, was hij zich bewust van die ene speler die er niet bij was: Abe Lenstra.

Het besluit van alle geselecteerde Zuidelijke spelers, afkomstig uit Brabant en Limburg, om voortaan geen enkele trainingsavond in de Wondertent te missen – al moesten sommige daarvoor het vliegtuig nemen – was door de rest van de spelers en alle officials met groot enthousiasme ontvangen. Lenstra, de enige speler uit het Noorden, koos ervoor zich thuis in Friesland door de bondstrainer te laten begeleiden. En zo ontbrak hij in de Wondertent tijdens het eerste samenzijn na de bevrijding.

II

Daags voor de wedstrijd op woensdag 27 november 1946 reisden bestuurslid Otto de Vries en hoofdconsul Lou Boeljon naar het Engelse Bolton om een bezoek te brengen aan het graf van wijlen bondsoefenmeester Bob Glendenning. Na het uitbreken van de oorlog was hij teruggekeerd naar zijn geboortegrond en daar in 1941 overleden.

Staand bij het graf legden de twee bondsofficials een krans op de laatste rustplaats van de man die al in 1923 spelers van het Nederlands elftal had getraind. Zijn voorlopige vervanger was de Nederlander Karel Kaufman. Ook hij was al lang in dienst bij de bond; sinds 1930. Toch zochten Lotsy en de voltallige KC weer naar een trainer met de Engelse nationaliteit. Kaufman wist dit en sprak hierover in Engeland met verschillende journalisten.

'Deze wordt coach van het Nederlands elftal om de keuzecommissie bij te staan,' zei hij. 'En om de verschillende speltypes en systemen te bestuderen en aan te passen bij het Nederlandse spelkarakter zonder dat dit laatste in verwrongen toestand geraakt en in een dwangbuis gestoken wordt.'

III

Kom maar op. De lichaamstaal van Faas Wilkes is in het Nederlands, maar de Engelse linksbinnen Wilf Mannion begrijpt direct zijn bedoeling.

Zo-even dribbelde hij met de bal aan de voet richting het Nederlandse strafschopgebied. Mannion overwoog kort spel met de alweer helemaal vrijstaande midvoor Lawton, maar de in zijn eigen verdediging teruggetrokken Wilkes daagde hem uit tot een duel.

Kom maar op, jongen. Kom maar op.

Mannion, technisch zeer vaardig, houdt de bal voor even vast, zodat ook het publiek begrijpt wat er gaande is tussen beide spelers. En net op het moment dat hij zijn schijnbeweging wil inzetten ontfutselt Wilkes hem de bal. De Engelse crack blijft als een marmeren standbeeld achter als de Nederlander direct versnelt en met de bal richting de Engelse helft gaat.

Tijdens zijn ren zigzagt Wilkes langs achtereenvolgens linkshalf Harry Johnston, stopperspil Neil Franklin en de linksback en aanvoerder George Hardwick. Door de laatste gedwongen richting de hoekvlag, besluit Wilkes de bal voor te zetten. De Nederlandse midvoor Wim Roosen komt net te laat, waardoor de voorzet uiteindelijk zonder verder gevaar naast het Engelse doel rolt: achterbal. Het is de achtste minuut van de wedstrijd, de stand is 0-0 en de aanwezige Nederlandse journalisten kijken elkaar tevreden aan. Zo speelt Wilkes. Zo speelt de Nederlander.

Op het veld spreekt aanvoerder Hadwick even kort met Johnston. De linkshalf zal de rest van de wedstrijd niet meer wijken van de zijde van Wilkes.

IV

'De noodzakelijkheid gebiedt, dat, ter behoud van het eigen volkskarakter, getracht wordt in Nederland op elk gebied, met overbrugging van politieke en confessionele overtuiging, één nationale organisatie te verkrijgen.'

Aldus sprak bestuurslid van de KNVB Moorman tijdens een vergadering op 13 juli 1940. Net als veel andere Nederlandse organisaties tijdens de oorlogsjaren streefden ook de belangrijkste voetbalbestuurders naar een unificatie van verschillende bonden. Op die manier dachten ze sterker te staan tegen de invloed van Duitsgezinde NSB'ers. Eind juli 1940 resulteerden besprekingen tussen de KNVB, de Nederlandsche Arbeiders Sport Bond (NASB), de Nederlandsche Voetbal Federatie (NVF), de Christelijke Nederlandsche Voetbal Bond (CNVB), de Rooms-Katholieke Federatie van Voetbalbonden in Nederland (RKF) en nog verschillende op regionaal niveau actieve bonden tot het samengaan in één bond: de Nederlandsche Voetbal Bond (NVB).

Na de oorlog bleef de overkoepeling gehandhaafd, waardoor Kick Smit, oorspronkelijk spelend bij de RKF, zonder problemen terug kon keren in het Nederlands elftal. De Haarlemmer had al direct meegespeeld met het bondselftal tegen het British Liberation Army. En ook voor de daaropvolgende wedstrijden had de drieëndertigjarige linksbinnen een uitnodiging ontvangen.

Voor het duel tegen de Engelsen had Herberts hier weer enkele getypte vellen met informatie aan toegevoegd. Om de spelers te prikkelen wees hij op de lage verwachtingen bij de Nederlandse pers over dit als 'oude mannenhuis' betitelde elftal. Daarnaast schreef hij dat juist voor deze wedstrijd, tegen zo'n sterke tegenstander, ervoor was gekozen om zonder expliciete opdracht te spelen. 'We beseffen heel wel dat elk systeem tegen Engeland gevaar loopt tegen jezelf te keren.'

Abe Lenstra had ook deze keer geen uitnodiging ontvangen. De linksbinnen van Heerenveen was in de oorlogsjaren nog weer een betere voetballer geworden, maar sinds de gewonnen uitwedstrijd tegen Luxemburg (6-2) was hij uit de gratie bij de Keuze Commissie. Als enige van het elftal had Lenstra zichtbaar zwak gespeeld. Volgens de Fries lag dat aan de hem toebedeelde positie: midvoor. Op zijn eigen favoriete plek, linksbinnen, had hij heus wel meer zijn best gedaan. Dat gebrek aan inzet was reden voor de Keuze Commissie om hem voorlopig niet meer te selecteren.

Niet iedereen was hierover even begripvol. Vooruitlopend op de bekendmaking van de selectie voor deze prestigieuze wedstrijd – 'Het grote Engeland is genegen weer eens tegen de onzen te voetballen,' schreven de journalisten – was op het bondsbureau een brief bezorgd voor Henk Herberts. Afzender: een aantal 'Friesche supporters'. Hun boodschap bestond uit een bondig geformuleerde belofte. Mocht de KC onverhoopt besluiten Lenstra weer niet te selecteren, dan beloofden ze speciaal voor hem 'een knokploeg' naar Den Haag te sturen.

V

De 35ste minuut bracht het zo lang verwachte kantelpunt. Het derde doelpunt van centervoor Tommy Lawton, de vijfde voor Engeland al die middag, was het moment waarop iedereen begreep dat het 'orthodoxe' spel van de Nederlanders definitief was overgegaan naar de betitelingen achterhaald en ouderwets.

Met technisch sterk spel hadden de Engelsen in welgeteld veertien minuten een lawine van vier doelpunten veroorzaakt. En weer een minuut later was het dus Lawton die na een ongelukkige glijpartij van rechtsback Jan Potharst alleen tegenover keeper Piet Kraak kwam te staan. De Engelse centervoor maakte enkele schijnbewegingen met het lichaam, kapte de bal vervolgens met zijn rechterbeen langs Kraak en schoot half vallend met zijn linkerbeen 't leer in het lege doel. Engeland leidde met 5-0. Het merendeel van de Engelse journalisten noteerde het woord 'voetbalklucht' in hun opschrijfboekjes.

De Nederlandse journalisten waren vooral druk bezig met hun gelijk halen. Hoe lang schreven ze al – een enkeling zoals Joris van den Bergh uitgezonderd – dat het Nederlandse orthodoxe spel niet meer van deze tijd was. Ver voor de oorlog bezigde menigeen de rotsvaste overtuiging dat er met een stopperspil moest worden gespeeld. En sinds die vijf doelpunten in vijftien minuten leek aan die lange weg vol onbegrip bij de KC een einde gekomen.

Achteraf was het altijd makkelijk praten. Maar in dit geval hadden veel journalisten het ook vooraf opgeschreven. Hun massale gelijk halen was net zo voorspelbaar als begrijpelijk. Opvallend was dat in alle analyses, meer nog dan de voldongen feiten van de 8-2 nederlaag, een bondige samenvatting uit de mond van centervoor Lawton het beslissende zetje gaf tot een onomkeerbare omwenteling in het Nederlandse spelsysteem.

'Jongens,' had Lawton na afloop gezegd tegen journalisten, spelers en andere Nederlandse omstanders. 'Jullie hebben gewoon zelfmoord gepleegd. Ik heb de hele middag lekker vrij lopen voetballen. Het was als een vakantiedag voor me. Ik kwam nooit een verdediger tegen en die spil van jullie heb ik helemaal nooit gezien.'

VI

Of de journalist wilde bemiddelen bij een eventuele overgang van Faas Wilkes en Abe Lenstra naar het team van Internazionale uit Milaan? De voetballers konden in Italië zestigduizend gulden handgeld krijgen en een maandsalaris van zeshonderd gulden, exclusief premies.

Als vanzelfsprekend ging de journalist in kwestie, de oud-atleet Wil van Beveren, niet in op het verzoek. Het waren immers amateurvoetballers. Maar hij schreef in januari 1949 wel een kort bericht over de Italiaanse belangstelling in het blad *Sportwereld* waar hij voor werkte. En dat bericht werd vervolgens door veel andere kranten overgenomen: in sommige gevallen met een reactie van de amateurvoetballers erbij.

Wilkes: 'Naar Italië? Hoe kom je daar nou bij?'

Lenstra: 'Je reinste fantasie!'

Het Italiaanse aanbod kwam niet onverwacht. Specifiek Wilkes en Lenstra – die al snel weer was opgeroepen door de KC – hadden de afgelopen jaren al veel soortgelijke voorstellen gekregen. Net als ook andere spelers van het Nederlands elftal door buitenlandse profclubs waren benaderd. Zo was er serieuze Engelse én Franse interesse geweest voor de jonge Kees Rijvers van NAC. Deze rechtsbinnen vormde in het Nederlands elftal, inmiddels spelend met een stopperspil, tezamen met Lenstra en Wilkes het 'gouden binnentrio': drie drommels goed op elkaar ingespeelde aanvallers.

Rijvers durfde zo kort na de oorlog niet in te gaan op het aanbod. Het leven als profvoetballer in het buitenland was ongewis en risicovol. Ging het daar fout, dan kon je niet meer terug naar de Nederlandse competitie en het Nederlands elftal.

Toch leek het vertrek van de beste amateurspelers uit Nederland een kwestie van tijd. En op een lentedag in 1949, zittend op een bankje in het Rembrandtpark in Amsterdam, vertelde de inmiddels zesentwintigjarige Faas Wilkes aan zijn toekomstige vrouw Mona Brakke over zijn voornemen om broodvoetballer te worden.

'Word je toch beroepsvoetballer, Faas, reusachtig, reusachtig,' zei ze. 'Meen je het heus. Waar, wáár ga je spelen?'

Met de zegen van zijn toekomstige vrouw koos Wilkes uiteindelijk voor Internazionale. Alvorens hij afreisde bezocht hij KNVB-voorzitter Lotsy. Nadat de voetballer de mentale trainer vertelde over zijn voornemen, schudde de laatste het hoofd en nam een stevige trek van zijn pijp.

'Zou je dat nu wel doen, Faas,' zei Lotsy. 'Ik ben zo bang dat het een grote teleurstelling voor je wordt. Het lijkt allemaal zo mooi en ik kan me voorstellen dat die grote bedragen je aanlokken. Maar als je contract na twee jaar om is en je wilt naar Holland terug, wat dan? Dan kun je hier niet meer voetballen.'

'Ach, meneer Lotsy,' antwoordde Wilkes. 'Wie dan leeft wie dan zorgt. Dan heb ik twee mooie jaren gehad, veel geld verdiend en dan is er toch nog niets verloren? Hier niet meer voetballen! Als dat het ergste is...'

6

De brievenschrijver uit Amstelveen

30 oktober 1963
Rotterdam, aanvang 20.15 uur
EK-kwalificatiewedstrijd, tweede ronde, in het Feyenoordstadion
Nederland – Luxemburg 1-2

Hij overweegt serieus een boek te schrijven. De eerste bondscoach van het Nederlands elftal die zonder Keuze Commissie zelf zijn spelers mag selecteren spreekt aan de vooravond van misschien wel de belangrijkste interland die onder zijn bewind zal worden gespeeld met journalisten van het weekblad *Haagse Post*.

Het is eind oktober 1963 en de vijfenvijftigjarige Elek Schwartz – geboren Roemeen, opgeleid als lithograaf, groot geworden als profvoetballer in Frankrijk en daar in 1936 genaturaliseerd – vertelt over zijn jaren als de Nederlandse bondscoach, een positie die hij sinds 1957 vervult.

Het gesprek gaat over de charme van het spel ('Voetbal is de enige sport, waar instinct aan te pas komt'), over de zin en onzin om 'de speltrant van een nationale ploeg af te stemmen op het volkskarakter' ('Ik geloof aan individuele karakters en van de individuelen moet je een eenheid maken'), over het Nederlandse complex ('De Nederlander moet zich altijd minder voelen dan anderen'), en over de systematische aanvallen van de Nederlandse sportpers ('Ik ben niet door "de pers" aangevallen, maar door een deel ervan, door de talentlozen, die in de voetballerij geen vaklui zijn'). Namen noemt hij niet, maar wel dat ook de spelers van het Nederlands elftal deze journalisten als hun vijanden zien.

Nederland-Luxemburg

'*L'opinion publique c'est une putain et on la dirige comme on peut*,' citeert de bondscoach de door hem bewonderde en wel vaker geciteerde Napoleon. Vrij vertaald betekent het: 'De publieke opinie is een hoer die je slechts kunt proberen te beïnvloeden.' Hij richt zich voor de beïnvloeding al jaren op de vakkundige sportjournalisten. Voor de resterende groep heeft hij het nog te schrijven boek in gedachten met als titel *Rendez-vous avec mes assassins*: Een ontmoeting met mijn moordenaars.

Dat Schwartz na de EK-kwalificatiewedstrijd van komende woensdag tegen Luxemburg inderdaad het loodje legt lijkt niet waarschijnlijk. In de heenwedstrijd op 11 september in het Amsterdamse Olympisch Stadion – Luxemburg speelde officieel thuis, maar verkoos de hoge recettes in Nederland – had het Nederlands elftal in een zeer slechte wedstrijd en met enig fortuin toch nog met

1-1 gelijkgespeeld. Schwartz had een tactische fout gemaakt door een te aanvallend team op te stellen. Dat overkomt hem niet opnieuw. En na de winst op Luxemburg wacht Denemarken: ook een tegenstander waarvan redelijkerwijs gewonnen kan worden. Winst over twee wedstrijden zou kwalificatie voor het Europese eindtoernooi in Spanje betekenen. Voldoende om dat groepje critici van repliek te dienen.

Kritiek is er trouwens altijd geweest; eigenlijk al vanaf het begin van zijn aantreden als bondscoach in 1957. Met zijn liefde voor de schilderkunst, passief en actief, nam hij de Hollanders nog wel voor zich in. Net als met de verhalen over hoe hij als jeugdige voetballer in de strenge Roemeense winters in conditie bleef met bokstrainingen. De erudiete pogingen om spelers te wijzen op andere zaken – musea, literatuur – dan het geijkte potje klaverjassen. En de vele talen, met Latijn en Grieks erbij zo ongeveer elf, die hij vloeiend spreekt. Maar zijn kwaliteiten als bondscoach roepen vanaf het begin al heftige reacties op.

Zo zou hij te lang hebben vastgehouden aan oude sterren als Faas Wilkes, Kees Rijvers en Abe Lenstra. Met een klinkende 9-1 overwinning op de Belgen in 1959 in de Rotterdamse Kuip – drie keer Wilkes, één maal Rijvers, de Belgische kranten schreven over de 'Feyemoord' – was de kritiek op zijn selectiebeleid voor even verstomd. Maar al snel stak de hoerige roep van de publieke opinie om het elftal te verjongen de kop weer op. Een roep die hij de laatste drie jaar heeft beantwoord door meer dan twintig verschillende spelers te laten debuteren.

Probleem volgens een groeiende groep journalisten is dat in zijn selectiebeleid weinig systeem te ontdekken valt. Of het moet zijn dat Schwartz er een voor het Nederlandse voetbal nogal verdedigende spelopvatting op na houdt.

'Dat is een leugen,' zegt Schwartz tegen de *Haagse Post*. 'We weten nog uit de oorlog, dat je voor alle ideeën propaganda kunt maken. Als je die altijd maar hoort, ga je op het laatst denken: dat is misschien waar.'

Maar dat is het dus niet. Dat is na bijna zeven jaar aanvallen van talentlozen een taaie, geconstrueerde mythe, hardnekkiger dan de leugen.

Schwartz is zeer goed op de hoogte van de laatste tactische ontwikkelingen. Al sinds 1953 wordt in het internationale voetbal het in Nederland nog steeds zo geliefde stopperspilsysteem met een vijfmansvoorhoede als achterhaald gezien. Na de wereldtitel van Brazilië in 1958 in Zweden zijn de meeste landen overgestapt naar dat succesvolle 4-2-4 systeem. En vorig jaar tijdens het WK in Chili, opnieuw gewonnen door de Brazilianen, leek dat 4-2-4 systeem in de praktijk meer op een 4-3-3 opstelling. In de toekomst voorziet Schwartz zelfs opstellingen met twee spitsen, of zelfs maar één.

Dat hij in de voorgaande jaren toch vrij consequent het systeem van 3-2-5 – een voorhoede van vijf (!) man dus – heeft gevolgd bevestigt zijn aanvallende intenties. Dat staat los van de verschillende tactische aanpassingen die hij of de spelersgroep zelf, afhankelijk van de tegenstander, altijd wel aanbrengt.

'Hoofdzaak is dat je het veld bezet, zodat de vijand niet infiltreren kan. Wat is aanvallen? Iedereen verwacht dat we tegen Luxemburg in de aanval gaan. Dat kan toch niet. Want iedere ploeg speelt nu toch 4-2-4. De kreet *Aanvallen! Aanvallen!*, wat is dat nou? Dat hoor je op de tribune bij de boerenwedstrijden.'

I

Geen volkslied en geen oranje shirts. Het waren de simpele en duidelijke eisen van de KNVB-bestuurders. Mede op initiatief van de profvoetballers Theo Timmermans van Olympique Nîmes en Bram Appel van Stade de Reims werd op 12 maart 1953 in het Parc des Princes in Parijs een benefietwedstrijd gespeeld tussen het Franse nationale elftal en een team van Nederlandse profs. De opbrengst was bedoeld voor de nabestaanden van de slachtoffers van de Waternoodsramp in Zuidwest-Nederland.

De KNVB stemde toe, maar organiseerde vijf dagen eerder in Rotterdam ook zelf een benefietwedstrijd ten bate van het zogenaamde Rampenfonds. Het officiële Nederlands elftal droeg op die 7de maart 1953 oranje shirts en alle spelers – rechtschapen amateurs – kregen vooraf het *Wilhelmus* te horen. Ondanks een doelpunt van Abe Lenstra werd met 2-1 verloren van Denemarken.

Daags voor de wedstrijd zonder oranje gekleurde shirts maar wel met het *Wilhelmus* – het blaasorkest was niet op de hoogte van het verbod – werd Kees Rijvers, sinds 1949 prof bij het Franse Saint-Étienne, in de lobby van het Parijse hotel Terminus aangeklampt door een van de duizenden naar de Franse hoofdstad afgereisde Nederlandse supporters. De man had de wedstrijd op 7 maart ook gezien en verzocht Rijvers nadrukkelijk om met dit team van Nederlandse voetballers eindelijk eens 'écht voetbal' te spelen.

Precies dat deden ze. Tenminste, nadat ze de eerste helft waren weggespeeld en alleen met massaal verdedigen en sterk keepen van Frans de Munck van 1. FC Köln de achterstand beperkt wisten te houden tot 1-0. In de tweede helft bracht een meer aanvallende tactiek – het gelegenheidsteam had geen specifieke backs, waardoor op die posities middenvelders stonden – de gelijkmaker en daarna gingen ze inderdaad 'écht voetballen'.

Wat hielp was dat het Franse elftal met de grote ster Raymond Kopa speelde in de geest van een benefietwedstrijd. Al paste de 2-1 voorsprong van de Nederlandse profs in de 81ste minuut daar dan weer minder bij. De laatste minuten probeerden de Fransen dit nog te herstellen. Maar Rijvers en de zijnen verdedigden sterk. Het bijeengeraapte gelegenheidsteam zonder echte verdedigers maar wel met allemaal profs won van het grote Frankrijk. Dat kon maar één ding betekenen: de invoering van profvoetbal in Nederland.

'Deze wedstrijd in Parijs heeft vele duizenden wellicht de ogen geopend, maar of het gedenkwaardige resultaat ervan zal kunnen leiden tot een koerswijziging van voetballeiders die zich tot dusver blind voor de werkelijkheid hebben getoond? Wij moeten het eerlijk gezegd betwijfelen.'

Aldus schreef journalist Ad van Emmenes naar aanleiding van de gewonnen watersnoodwedstrijd in *De Sportkroniek.* De benoemde twijfel had te maken met de nu al decennialang durende koppigheid van de KNVB en de stelligheid van voormalig voorzitter Karel Lotsy. De inmiddels zestigjarige Karel de Kerel was een jaar eerder afgetreden, maar had in zijn afscheidsrede zijn opvolgers de wijze raad meegegeven het amateurisme in Nederland vol te houden. 'Ik meen dat ik krachtiger dan ooit een waarschuwend woord tot u allen mag richten en u mag vragen de fakkel van het idealisme helder en fel brandend te houden.'

Men hoorde het wel, maar geluisterd werd er nog nauwelijks.

Ooit was dat anders. Op aanraden van Lotsy was Kick Smit eind jaren dertig niet ingegaan op een aanbod van het Engelse Wolverhampton Wanderers. De Haarlemse linksbinnen, inmiddels actief als trainer, had het ongetekende contract altijd bewaard en eind jaren veertig aan de jeugdige Rijvers laten zien. Het bevrijdde de toenmalige amateur van NAC van zijn angst voor het profbestaan in het buitenland. Rijvers was Smit daar nog steeds dankbaar voor. En inmiddels deelden steeds meer voetbalbestuurders dat inzicht.

Op 24 oktober 1954, vijf weken voordat de KNVB daadwerkelijk instemde met professioneel clubvoetbal in Nederland, speelde het Nederlands elftal een uitwedstrijd tegen België. Na afloop ontvingen alle geselecteerde spelers uit de eerste klasse ondanks hun amateurstatus een wedstrijdpremie van vijftig gulden.

II

Begin jaren vijftig, Luxemburg. Het veld van FC Claravallis in het plaatsje Clerveaux. Het is zomer. Een jongen, middelbaar scholier, schiet de bal herhaaldelijk in het doel. De afstand verschilt: soms twaalf, soms twintig, soms zestien en soms schiet hij ook vanaf meer dan dertig meter. Dichterbij dan twaalf meter komt hij niet. Dan is scoren op een doel zonder keeper te gemakkelijk.

De jongen, Camille, is altijd alleen. Zijn vader werkte als slager in het dorp. Maar sinds diens dood staat zijn oudste broer achter de toonbank. Ook een goede voetballer, maar hij kan minder goed leren. Camille kan dat wel. Daarom zit hij op kostschool in Echternach. Het eerste jaar was vol heimwee. Het tweede jaar vol heimwee en verdriet over de vroege dood van zijn vader. Maar sinds de middelbare school een voetbalteam is gestart, met hem als grote ster, is de heimwee verdwenen. En de noodzaak om zomers te trainen op het verlaten veld van FC Claravallis gegroeid.

Heel soms helpt iemand van de club hem. Die geeft dan hoge voorzetten. Hij haalt deze om. Ook daar gaat het hem om de herhaling. Het oefenen. Gezien heeft hij zo'n omhaal in de lucht alleen op een foto in een Franstalige krant. Thadée Cisowski deed 'm. De speler van Racing Paris is in Polen geboren, heet eigenlijk Tadeusz en is een genaturaliseerde Fransman. Dat weet Camille niet. Zoals hij zoveel niet weet. Al weet hij al wel dat niet dominantie, maar doelpunten wedstrijden beslissen. En daarom traint hij. Om te doelpunten. Net zoals Cisowski.

Kijk daar gaat hij weer. Drijven. Goedleggen. Schieten. Het van ijzer gemaakte net dempt het rake schot en dwingt hem verder te lopen, het doel in. Daar zoekt zijn voet de bal. Tikt 'm het veld weer op. Hij versnelt even en draait zich om. Drijven. Goedleggen. Schieten. Camille en de bal: altijd weer hetzelfde. Oefenen om beter te worden. Beter worden in schieten. Schieten om te scoren. Telkens weer hetzelfde. Soms doelpunt Camille ook met links, maar veel vaker toch met rechts. Dat is zijn goede been. Dan valt zijn beperkte techniek minder op. Niet dominantie, maar doelpunten winnen wedstrijden.

III

'Het lijden van nederlagen is niet erg, mijnheer Schwartz! Wij Nederlanders vinden een nederlaag in een wedstrijd waarin wij genieten van prachtig spel, helemaal niet erg! Als je verliest van een betere tegenstander, als je je best hebt gedaan, dan verlies je met ere! Dan kan een nederlaag zelfs een "overwinning" zijn.'

Aldus schreef J. Reinders, een Amstelveense onderwijzer op de ULO, in een open brief aan de Nederlandse bondscoach, die *Het Parool* publiceerde op woensdag 23 oktober 1963. Naast de groeiende groep van journalisten kreeg ook de stem des volks een podium om zich te roeren in het publieke debat. De aanhef van de open brief maakte direct duidelijk waar het deze Reinders om ging: 'Elek Schwartz, verlaat ons.' 'De manier waarop u op het ogenblik met ons Nederlands elftal omspringt, doet mij vrezen, dat het onder uw leiding nooit tot betere resultaten zal komen. U begrijpt de psyche van de Nederlandse sportman niet. U stapelt pedagogische fout op psychologische fout!'

Naast deze verder onbenoemde fouten was de rode draad in de open brief weer de verdedigende tactiek van Schwartz. De bondscoach mocht dergelijke voorstellingen van zaken graag afschilderen als propaganda, de Amstelveense onderwijzer op de ULO zag dat anders: 'U is bang voor nederlagen, mijnheer Schwartz! Uw tactiek is er juist op gericht dat of de nederlagen zo klein mogelijk blijven of er een minimale overwinning wordt bereikt.'

IV

Het eerste balcontact is van hem. Camille Dimmer, spits bij de Belgische tweedeklasser Crossing Molenbeek en spelend met rugnummer 9 heeft zojuist met de aftrap van Nederland – Luxemburg de wedstrijd van zijn leven in werking gezet.

Dat laatste weet hij nog niet. Net zoals hij ook nog niet weet dat ergens op de tribune, te midden van de 45 000 supporters, zijn beste vrienden van de universiteit van Luik zitten. Ze zijn met een deux-chevaux naar Rotterdam gereden om Dimmer te verrassen. Hij is student elektrotechniek en neemt zijn studie zeer serieus. Het eerste duel in Amsterdam miste hij vanwege een belangrijk tentamen. En pas na het telefoontje van meneer Heinz, de bondscoach, afgelopen vrijdag weet hij van het redelijk verrassende en hoopgevende gelijkspel.

Eenmaal verenigd met zijn medespelers in Luxemburg-Stad hoort hij hoe zij in Amsterdam het Nederlands elftal hadden gedomineerd. De Hollanders oogden traag en waren vooral in de verdediging kwetsbaar. Al was die keeper wel een goede.

Naast de opbeurende verhalen van zijn teamgenoten viel hem tijdens die kleine trainingsstage in Luxemburg-Stad de professionele benadering van de bond op. Er was een uitgebreide medische staf die hem grondig had gekeurd en hem had verteld dat hij ongelofelijk fit was. Dimmer had dat idee al – met de tentamens achter de rug was zijn hoofd heerlijk leeg – maar de bevestiging van de sportartsen gaven hem extra vertrouwen.

Ook nu voelt hij zich fysiek sterk. Het is koud. De lucht zit vol zuurstof. Eigenlijk precies het weer waar hij van houdt. En het vele publiek, hoewel vijandelijk, geeft hem vertrouwen. Het is voor het eerst dat hij voor zoveel mensen speelt. Hij hoort de Nederlanders massaal meezingen met een door de speakers klinkend lied; 't is iets met 'woorden en daden'.

Van dat lamlendige in de vorige wedstrijd is bij de Nederlanders tot nu toe weinig te zien. Ze zijn sterk. Ze vallen aan. En vooral vanaf hun rechterkant is er voortdurend gevaar. De centrale spits Piet Kruiver krijgt een kans. Linksbinnen Piet Keizer krijgt er twee. En rechtsbuiten Piet Giesen, de gevaarlijkste man op het veld, ziet een strakke volley op de deklat belanden.

Dan, na ongeveer een kwartier spelen, schiet spil en centrale verdediger Tonny Pronk tegen de rug van de Luxemburgse rechtsbinnen Ady Schmit, waardoor hij ineens de bal heeft. Kort drijft Dimmer de bal op, legt deze goed en schiet van ruim vijfentwintig meter op het Nederlandse doel. Het schot is hard en laag en vliegt met een enkele stuit net langs de duikende keeper Eddy Pieters Graafland... tegen de binnenkant van de paal.

Oef!

De terugspringende bal rolt met een flinke vaart in de richting van de doorgelopen Ady. Vanaf de zijkant schiet hij direct weer op het doel. Daar is Pieters Graafland op tijd terug en pakt het schot klemvast.

Vijf minuten later volgt een tweede, soortgelijke kans. Linksbinnen Louis Pilot combineert met rechtsbuiten Jean Klein, die de bal diep speelt. Dimmer wint het sprintduel van Pronk en schiet vanaf de rand van het strafschopgebied met links. Hij weet het direct: dat is 'n goeie. En het schot belandt inderdaad in het Nederlandse doel: 1-0 voor Luxemburg.

Met beide handen in de lucht rent hij weg, wordt opgevangen door de eveneens juichende Ady en rechtsbuiten Jean Klein. Wat fijn is dit!

Dat gelukzalige gevoel houdt aan tot de 35ste minuut. Dan snelt de Nederlander Giesen voor de zoveelste maal langs drie tegenstanders. Zijn lage voorzet wordt door spits Kruiver eenvoudig in het doel geschoven. Nico Schmitt, de keeper, is kansloos. 1-1: dat betekent het begin van het einde.

Dimmer trapt wederom af, maar hij is er ineens veel minder gerust op. Die Hollanders hebben nu vast door hoe ze moeten aanvallen. En het publiek is ook weer duidelijk te horen. 'Giesen! Giesen!' klinkt het van de tribunes. En het Nederlands elftal krijgt inderdaad grote kansen. Uit een corner kopt Henk Groot buiten bereik van keeper Nico de bal in het doel. Gelukkig staat rechtshalf Fiedler bij de tweede paal en kopt de bal weg... hoewel... precies op de borst van Keizer. Die controleert deze en schiet hard, net langs de paal.

Oef! Wat scheelt 't?

In de rust spreekt meneer Heinz kort. Volhouden. Stug blijven verdedigen. En tegen Louis en Jean zegt de bondscoach vooral hem voorin in stelling te brengen. Zijn snelheid is een belangrijk wapen, ondanks de numerieke meerderheid van de Nederlandse verdedigers. Het is misschien wel het enige wapen. Maar er komt nog een kans, zegt Heinz. Er komt zeker nog een kans.

Eén kans, één kans. Meneer Heinz heeft het gezegd en hijzelf heeft ook zo'n voorgevoel. Niet dominantie wint wedstrijden, maar doelpunten. Toch is de Nederlandse dominantie in die eerste minuten wel erg overtuigend. Ze vallen aan, gedoseerd en fel. Ze krijgen kansen. Maar door stug verdedigen, en wat geluk, lukt het een tweede doelpunt te voorkomen.

Heel soms geraakt de bal tot bij hem op de Nederlandse helft. Het gebeurt weinig, te weinig eigenlijk, maar toch voelt het alsof er iets kantelt. En misschien verbeeldt hij het zich, maar het geluid van de tribunes klinkt anders: meer morrend.

Dan is er ineens een diepe bal – het voorspel van de kans waar heel Luxemburg op wachtte. Aan de rechterkant, nog naast het strafschopgebied, neemt hij de bal aan, in één keer goed, waardoor hij met een klein tikje de sliding van de Nederlandse linksback Cor Veldhoen ontwijkt. Hij voelt linkshalf Rinus Bennaars naderen in zijn rug als hij de bal het strafschopgebied in drijft.

Drijven. Goedleggen. Schieten. Vanaf zo'n vijf meter schiet hij de bal hard en hoog langs de vertwijfeld duikende keeper Pieters Graafland.

'GOOOOOAAAAAL!' De reactie van de bekende Luxemburgse radioreporter Pilo Fonck vat zijn eigen reactie op het veld krachtig samen. Hij is euforisch. Hij juicht, zonder goed te weten hoe. Pas nadat Ady en de anderen hem omarmen – voor zijn gevoel duurt dat uren en uren –, pas na het lichaamscontact met zijn juichende ploeggenoten beseft hij wat er is gebeurd. Die ene kans was een doelpunt. Luxemburg leidt met 2-1.

Wat daarop volgt is de voetbalvariant van de woorden 'spervuur' en 'tevergeefs'. Nico keept een fantastische wedstrijd en Nederland mist een koelbloedige afmaker. Luxemburg verdedigt steeds overtuigender en krijgt via enkele counters nog meer scoringskansen. Het woord 'tevergeefs' krijgt vat op het publiek. En dan fluit de scheidsrechter voor de laatste maal.

Linksback JP heeft de wedstrijdbal, geeft die snel aan een official en knijpt aanvoerder Fernand in beide wangen. Dimmer wordt omarmd door medespelers en officials. En ook elders op het veld wordt in wisselende groepjes gejuicht. Luxemburg heeft gewonnen. Luxemburg mag tegen Denemarken gaan spelen. En Luxemburg maakt zich op voor het lopen van een ereronde voor de wedstrijd van zijn leven.

V

'Als wij die wedstrijd tien keer spelen, dan winnen we 'm negen keer.' Ton Pronk – oud-speler van Ajax en negentienvoudig international – bijna vijftig jaar nadat hij in het smadelijk verloren thuisduel tegen Luxemburg actief was als de laatste Nederlandse stopperspil ooit.

VI

1963, Nederland. Voor het eerst was er sprake van een landelijke competitie voor jeugdelftallen. In het elftal van Ajax, getraind door oud-speler Jany van der Veen, speelde dat eerste seizoen een zestienjarige Hendrik Johannes Cruijff. In navolging van zijn grote voorbeeld Faas Wilkes, dan weer spelend bij Xerxes, pingelde hij nogal graag. Volgens sommigen binnen de Amsterdamse club iets te graag.

'Voetbal is een teamsport. Alle elf spelers willen graag de bal spelen. Geef dat ding eens af!' schrijft de secretaris in het clubblad *Ajaxnieuws.* Het bericht was speciaal gericht aan twee jeugdspelers: Ger Splinter en Johan Cruijff. Trainer Van der Veen zag het probleem niet. Hij liet zijn spelers graag pingelen. Daarin toonden zich juist de ware talenten. Want die begrepen namelijk precies wanneer je de bal wel moest afspelen. Dat gold voor Splinter, maar zeker ook voor die watervlugge en bijdehante Cruijff. Als trainer kon hij dat jochie over het juiste moment van afspelen al helemaal niets meer leren.

VII

'Ooh was ik maaaar, bij moeoeoeder thuis geblee-ee-ven.' Bijna vijftig jaar na de wedstrijd van zijn leven herkende de drieënzeventigjarige Camille Dimmer het lied dat het Nederlandse publiek die oktoberavond in 1963 in Rotterdam in de laatste minuten zong.

Wat de woorden betekenden wist hij niet, maar dat het kritisch bedoeld was van het Nederlandse publiek begreep hij destijds wel. Het sterkte hem en zijn ploeggenoten om nog energieker te verdedigen. Net zoals ze ook extra waren gemotiveerd door het bericht dat voorafgaand aan het duel in Rotterdam de Nederlandse voetbalbond al druk met de Deense bond overlegde over waar en wanneer de volgende EK-kwalificatieduels gespeeld zouden worden. Van de belaagde positie van bondscoach Elek Schwartz, het door Nederland gehanteerde spelsysteem en de door de Luxemburgse overwinning blootgelegde 'Waarheid van Rotterdam' wist hij niets. Datzelfde gold voor de overgang van het Nederlands elftal naar het 4-2-4-systeem en het uiteindelijke vertrek van Schwartz naar Benfica in 1964. 'Ik was student, verdiepte mij liever in wiskundige problemen.'

'Es "dimmerte" in Rotterdam' kopte een Luxemburgse sport krant daags na de wedstrijd. Dat was een mooie vondst en voor zijn gevoel was het nog heel lang blijven 'dimmeren'. Na het feestvieren met zijn ploeg- en studiegenoten ('ze stonden in de catacomben ineens voor mijn neus') was het team de volgende dag met de trein naar Luxemburg gereisd. In de hoofdstad werden zij als helden onthaald. Dimmer haakte na een uur al af omdat hij de trein moest halen naar zijn geboortedorp Clervaux.

Het ontvangst daar was zeker zo opmerkelijk. Het was een déjà-vu. Ooit werd hij door de leraren van zijn kostschool in Echternach nauwelijks opgemerkt, totdat hij met het nieuw opgerichte schoolvoetbalteam een belangrijke regionale beker won. De doelpunten in Rotterdam hadden dezelfde impact op de ongeveer duizend inwoners van Clervaux. Overal waar hij ging zag men hem staan. En dat zou nooit meer veranderen.

Ver nadat Luxemburg zonder de geblesseerde Dimmer de wedstrijden tegen Denemarken had verloren werd hij op straat aangeklampt en spontaan bedankt. Ook nadat hij was afgestudeerd en was gaan werken als ingenieur werd hij herkend als de man van de twee doelpunten tegen Holland. Iedereen zag hem als '*Monsieur 100 000 volts*', eigenlijk de bijnaam van de Franse zanger Gilbert Bécaud, maar in Luxemburg verbonden aan de Spits van de Twee Doelpunten. Dat bleef zelfs zo nadat hij in de jaren negentig actief politicus werd en zitting had in het Luxemburgse parlement. Overal waar hij kwam werden de deuren met een brede armzwaai voor de Held van Rotterdam geopend. Dat was, hoewel lastig te bepalen, zonder die twee doelpunten mogelijk niet zo snel gebeurd. Natuurlijk had hij hard gestudeerd en hard gewerkt. Maar het waren zeker ook zijn doelpunten die hem zover hadden gebracht.

En misschien, dacht Dimmer, kwam het ook wel doordat Nederland in de jaren na het smadelijke verlies van 1963 in de wereld een groeiend aanzien als voetballand kreeg. 'Van de aantrekkelijkheid van het Nederlandse voetbal, het dominante en aanvallende spel, was destijds nog lang geen sprake.'

7

Een schoenenwinkel in de grote stad

Woensdag, 22 oktober 1969
Rotterdam, aanvang 20.30 uur
WK-kwalificatie in het Feyenoordstadion
Nederland – Bulgarije 1-1

De bondscoach gaf zijn beste speler twee dagen de tijd. Zelfs na lang zeuren over een extra dag en een uitgebreide uitleg over de thuissituatie – 'noem het privé-psychologische redenen' – kreeg Johan Cruijff van George Kessler tot woensdagmiddag twaalf uur. Dat was immers het afgesproken tijdstip waarop alle Nederlandse selectiespelers zich moesten melden in Hotel Hoog Holten voor het driedaagse trainingskamp voor de belangrijke WK-kwalificatiewedstrijd tegen Bulgarije. En nee, de bondscoach maakte voor hem ondanks de thuissituatie geen uitzondering. Hij was profvoetballer en wist al langer van het geplande samenzijn met de Nederlandse selectie in Holten.

Tot driemaal toe bezwoer Kessler hem ook voor Johan Cruijff geen uitzondering te maken. Het ging om het Nederlands elftal, niet om een of ander scheermesjesclubje. Zodoende hadden de spits van Ajax en zijn vrouw Danny na de competitiewedstrijd van afgelopen zondag tegen Twente dus precies twee dagen de tijd gehad voor hun spontaan geplande schoenentrip naar Italië.

Het idee kwam van hem. Al waren Bobby en Tootje Nees goede voorbeelden geweest. Zijn oude vriend had een restaurant in Zandvoort. En in het pand daarnaast had hij onlangs een boetiek geopend. Dan had Tootje wat om handen en bovendien was het reu-

Nederland-Bulgarije

zegezellig. Cruijff dacht dat zoiets ook voor Danny geschikt zou zijn. Hij stelde het haar voor en tezamen kwamen ze uit op een schoenenzaak.

Een geschikte plek was vrij snel gevonden; in de Amsterdamse Kinkerstraat. Daarbij was het idee alles exclusief te maken; van elk paar schoenen, per maat maar één exemplaar. Op die manier werd het meer dan zomaar een winkel. Net zoals het aanbieden van koffie of sherry aan de klanten. Het moest een 'Shoetiek' zijn: een benaming die prima bij hun ideeën paste.

Danny en hij waren nu bijna één jaar getrouwd. Hoewel ze elkaar al langer kenden, was de eerste echte ontmoeting tijdens de bruiloft van Piet Keizer geweest. Na de ceremonie was er een receptie in de Oesterbar aan het Leidseplein. Danny was meegekomen met haar ouders en Cruijff was er als ploeggenoot van Ajax. Terwijl ze met elkaar stonden te praten kwam een bekende van hem, een oudere vrouw, erbij staan.

'Kent u haar niet?' zei hij. 'Dit is Danny. Mijn vrouw!'

'Och nee toch?"

'Ja toch!'

'Ik wist helemaal niet dat je getrouwd was!'

Wat op dat moment nauwelijks meer dan een goed getimede grap leek, was ruim een jaar later werkelijkheid. Op 2 december 1968 waren ze getrouwd. Het exclusieve recht op hun trouwfoto gaven ze aan *De Telegraaf.* Cor Coster, de vader van Danny, was daarmee gekomen. Sinds Cruijff kennis had gekregen van zijn dochter, had de selfmade zakenman zich over hem ontfermd. Hij vond zijn toekomstige schoonzoon nogal beïnvloedbaar en zag dat voetbalbestuurders hem financieel in de maling namen. Zoveel voetbaltalent en dan toch schulden moeten maken voor de aankoop van een huis: dat moest anders kunnen.

Cruijff was snel onder de indruk geraakt van de doortastendheid en het zakelijke instinct van Coster. Ineens begreep hij welke waarde een profvoetballer kon vertegenwoordigen. Geld vragen voor een interview? De kranten verkochten beter met zijn verhaal erin, toch? Nou dan! Op alle mogelijke gebieden zag Coster dergelijke kansen op financieel gewin. Cruijff was zich altijd al bewust van het belang van geld, toch opende zijn schoonvader hem zakelijk de ogen.

Niet iedereen zag een dergelijke professionele instelling als een verbetering. Op het voetbalveld was Cruijffie – zoals de supporters hem al enige tijd noemden – nogal egoïstisch ingesteld. Dat was hij altijd geweest, maar zijn medespelers begrepen dat hij zijn solo's ook deed in het teambelang. Zo zei zijn ploeggenoot bij Ajax, rechtsbuiten Sjaak Swart, niet lang geleden nog dat 'Cruijff ontzettend veel pingelt en ons voor joker met hem mee laat lopen, maar onze verhouding met hem zo goed is, dat we dat van hem nemen'.

Daarnaast hadden ook zijn medespelers geprofiteerd van de

hernieuwde zakelijke inzichten. Toch was er kritiek. Er waren kranten die schreven 'geldwolf Johan dit' en 'grote mond Johan dat'. En ook zou hij zich sinds het huwelijk met Danny te veel met zaken buiten het voetbal bezighouden. De schoenenzaak vond men daarvan een sprekend voorbeeld. De werkelijke reden kenden slechts een groep intimi. Daarbij hoorde ook bondscoach Kessler.

Na hun huwelijk waren ze in Vinkeveen gaan wonen en daar was Danny zwanger geraakt. Maar na twee maanden kreeg ze een miskraam. Dat greep haar flink aan. Als afleiding had Cruijff de schoenenwinkel bedacht en een gezamenlijke tripje naar Italië: om schoenfabrikanten te bezoeken, maar ook om er even samen tussenuit te zijn.

Op maandagochtend, de 13de oktober, hadden ze het vliegtuig naar Milaan genomen. Daar stond een auto klaar om hen naar Verona te rijden. Er was een fijn hotel, lekker eten en ze hadden negen schoenfabrikanten bezocht. Danny had het heel fijn gevonden en aan het einde van de trip waren drie orders geplaatst: tezamen zo'n duizend paar schoenen.

I

'Veenstra,' zegt NOS-televisiecommentator Herman Kuiphof als centrale middenvelder Wietse Veenstra van PSV in de 34ste minuut van de WK-kwalificatiewedstrijd tegen Bulgarije de bal vanaf de rand van het Nederlandse strafschopgebied opdrijft. Om zeven uur was een live televisieverslag nog onhaalbaar, maar uiteindelijk gaf de KNVB toch toestemming deze cruciale wedstrijd – alleen met winst kan Nederland zich plaatsen voor het WK van 1970 in Mexico – uit te zenden.

De honderdduizenden televisiekijkers en de 62 000 toeschouwers in het uitverkochte Feyenoordstadion hebben net als commentator Kuiphof vanaf het begin een fel en aanvallend spelend Nederlands elftal gezien. Eerder was er zelfs een zeer grote kans op de openingstreffer voor centrumspits Willy van der Kuijlen. Maar alleen voor keeper Simeonov schoot de PSV'er precies in de hoek die de Bulgaarse keeper verwachtte.

Veenstra, lopend aan de rechterkant van het veld, is bijna bij de middenlijn en passt de bal recht vooruit, langs een Bulgaar, naar een vrijstaande medespeler.

'Van der Kuijlen, goed vrijgelopen,' zegt Kuiphof. Met een man in zijn rug tikt de centrumspits na zijn aanname de bal direct naar de in de middencirkel vrijstaande linkshalf van het Nederlands elftal.

'Van Hanegem,' zegt Kuiphof, terwijl Van der Kuijlen zich omdraait en wegloopt van zijn tegenstander. Te midden van drie Bulgaren houdt Van Hanegem even de bal vast en tikt deze vervolgens met de buitenkant van zijn linkerschoen naar de vrijgelopen centrumspits.

'Van der Kuijlen, goed,' zegt Kuiphof. 'Maar nu?'

Rechtsonder in het televisiescherm verschijnt het antwoord: rechtsbuiten Henk Wery van Feyenoord. Van der Kuijlen heeft Wery al langer gezien, tikt de bal naar hem en versnelt direct richting de vrije ruimte aan de rechterkant van het Bulgaarse strafschopgebied.

'Wery,' zegt Kuiphof, waarna de directe pass van Wery richting de doorgelopen Van der Kuijlen hem enigszins verrast. 'Van Hanegem,' zegt de commentator terwijl Van der Kuijlen aan de bal is. Het vervolg van Kuiphof is wel weer vlekkeloos. 'Geen buitenspel,' zegt hij, en na de voorzet: 'Goed voor.'

De bal van de voet van Van der Kuijlen draait van het Bulgaarse doel af en zeilt over verdediger Ivan Dimitrov heen. 'En daar moet een kopkans komen,' zegt Kuiphof. 'En dóélpúnt.' Met een duikkopbal heeft de Nederlandse centrale middenvelder keeper Simeonov geklopt en loopt vervolgens alleen, juichend met zijn rechterhand omhoog, weg. 'Een doelpunt van Wietse Veenstra,' zegt Kuiphof. 'Een schitterende goal. Nederland leidt met 1-0. Na vijfendertig minuten.'

II

'Hij heeft bewezen zich te willen en te kunnen opofferen voor de ploeg en de taak uit te voeren zoals ik dat van hem wens.'

Ajax-coach Rinus Michels vertelde na afloop van het Europacupduel tegen 1. FC Nürnberg op 18 september 1968 tevreden te zijn over het spel van centrumspits Johan Cruijff. De uitwedstrijd was geëindigd in een 1-1 gelijkspel – doelpunt Cruijff – wat een goede uitgangspositie voor de thuiswedstrijd betekende. Vier dagen eerder, na afloop van de bekerwedstrijd tegen PEC uit Zwolle, had Michels al tevreden vastgesteld dat er inderdaad sprake was van een 'Cruijff nieuwe-stijl'. 'Hij meed de risico's door de ballen veel sneller af te spelen dan hij gewoon was af te spelen.'

In de weken voorafgaand aan beide duels hadden de trainer en midvoor een zoveelste gevecht met elkaar uitgevochten. Michels onderkende vanaf zijn aanstelling als coach in januari 1965 direct het grote talent van Cruijff. Maar tegelijkertijd zag hij ook tekortkomingen. Cruijff was fysiek kwetsbaar. Cruijff ontbeerde voldoende discipline. En Cruijff was te egoïstisch in zijn spel. De coach zocht naar verbetering en schuwde daarbij geen enkel middel: boetes, reservebeurten, apart van de groep trainen en, in dit geval, een interviewverbod.

'Het is logisch dat Michels zich de baas toont,' schreef Maarten de Vos in dagblad *De Tijd*. Volgens de journalist was Cruijff in de maanden voor zijn huwelijk 'op weg naar volwassenheid' en kon hij daarbij goede begeleiding gebruiken. 'Michels regeert nu eenmaal super-dictatoriaal. Als een kapitein over zijn compagnie. En al is Cruijff dan de vaandrig onder de soldaten en de sergeanten, hij zal zich moeten onderwerpen aan de wil van Michels.'

Het interviewverbod was half augustus ingegaan, op het moment dat Cruijff terugkeerde na een langdurige blessure en tijdelijk in het tweede elftal speelde. Dat de fitte Cruijff zich in zijn eerste twee hele wedstrijden als vernieuwd en gehoorzaam vaandrig liet zien stemde Michels tevreden, net als het resultaat bij 1. FC

Nürnberg. Vooraf had hij de Nederlandse journalisten nog verteld in de vaste 4-2-4 opstelling te startten. Maar uiteindelijk koos hij voor een verrassende opstelling van 4-3-3: om meer grip op het middenveld te krijgen. In het daaropvolgende competitieduel handhaafde hij deze opstelling met Cruijff als de centrale spits.

III

Het was tien minuten over negen in de avond van woensdag 15 oktober toen het vliegtuig met daarin Johan en Danny Cruijff landde op luchthaven Schiphol. Hun gezamenlijke tripje naar Italië op zoek naar schoenen was ten einde. Eerder die dag had de selectie van het Nederlands elftal om één uur de gezamenlijke lunch genuttigd in Hotel Hoog Holten, waarna het om twee uur tijd was om te gaan rusten.

Bondscoach George Kessler had ondertussen contact gezocht met Schiphol om te achterhalen of er mogelijke ernstige vertragingen waren met vluchten vanuit Italië, of dat er wellicht een ongeluk was gebeurd. Dat bleek niet zo te zijn, waarna Kessler de aanvoerder Hans Eijkenbroek had opgezocht en hem vertelde Cruijff niet langer te willen handhaven in de selectie voor het cruciale duel tegen Bulgarije.

'Zo, mag ik van de heer Coler nu niet meer tegen Bulgarije meedoen?' Nog voordat Cruijff bij de douane stond vertelden verschillende journalisten hem dat Coler, de voorzitter Betaald Voetbal van de KNVB, had gezegd dat de spits van Ajax uit de selectie van het Nederlands elftal was verwijderd. Zijn reactie werd direct opgeschreven, net zoals zijn gemoedstoestand.

'Hij schoot prompt in "brand",' schreef een van de journalisten die Cruijff ondertussen tot aan de douane waren gevolgd. Daar legde hij uit – 'de macht op zichzelf volledig heroverd' – dat hij aan zijn late terugkeer 'niets kon doen'.

'Alles werkte tegen,' zei Cruijff. 'Maandag ben ik naar Milaan gevlogen, waar ik een auto huurde. Maar maandag bleek een katholieke feestdag te zijn, zodat ik overal tevergeefs aanklopte. Dinsdag heb ik in Florence en in Verona allerlei onderhandelingen gevoerd. Maar ik was een dag achterop. Ik had te weinig tijd. Toch had hij die dinsdagavond nog wel geprobeerd een plek te krijgen in het laatst vertrekkende toestel vanuit Italië. Dat mislukte, waarna hij ook op de bewuste woensdag het nodige geluk ontbeerde.

Onderweg van Florence naar Milaan was er dichte mist, waardoor Cruijff de eerste vlucht naar Amsterdam miste. Hij wilde daarom bellen naar Nederland om te vertellen dat hij niet op tijd in Holten zou arriveren. Door de slechte verbinding lukte het niet om Kessler in Zeist of bij hem thuis te bereiken. ‘Maar daardoor zag ik het tweede vliegtuig voor mijn neus opstijgen.’

Uiteindelijk kreeg hij pas in de namiddag een vlucht die ook nog eens via Brussel naar Amsterdam vloog.

De groep journalisten noteerde zijn verklaring en volgde hem naar het huis van schoonvader Coster in de Amsterdamse Herman Heijermansstraat. De daar aanwezige Maarten de Vos van *De Tijd* hoorde Cruijff opnieuw vertellen over een nationale Italiaanse feestdag, mist en vliegtuigverbindingen die niet echt mee zaten. En nadat hij had verteld over een ‘twaalfhonderd kilometer afgelegd in een huurauto’ zei Cruijff uiteindelijk ook: ‘Ik besef nu zelf wel, dat ik iets verkeerd gedaan heb. Maar zo erg is dat toch ook weer niet?’

IV

Het was maandag 20 oktober 1963 toen journalist Frans Nypels van het weekblad *Haagse Post* aan Johan Cruijff vroeg of zijn (ver) late terugkeer vanuit Italië ook niet te maken had met gebrek aan interesse voor het Nederlands elftal.

‘Zakelijk is dat Nederlands Elftal nog steeds niet aantrekkelijk,’ antwoordde hij. ‘De overwinningspremie bedraagt vijfhonderd gulden. Als we verliezen beuren we maar tweehonderd pop. Het trainingsgeld is, dankzij onze grote bek, opgetrokken van vijftig gulden naar honderd gulden.'

Aan het begin van zijn profcarrière had Ajax hem nadrukkelijk verboden uit te komen voor het Nederlands elftal. Bondscoach Denis Neville, de voorganger van Kessler, had in 1965 de toen achttienjarige Cruijff willen laten debuteren. Maar pas in september 1966, na veel moeite, bond Ajax in en speelde hij zijn eerste interland tegen Hongarije. Om hem bij de volgende als 'te geblesseerd' af te melden. Cruijff gehoorzaamde en sindsdien schreven de media over de Kwestie Cruijff: het vaak net iets te toevallig samengaan van een blessure met een selectie door Kessler.

Of een dergelijke toevalligheid voor deze reeks van WK-kwalificatiewedstrijden gold was lastig te bepalen. Cruijff ontbrak bij de wedstrijd in en tegen Luxemburg (2-0 winst) op 4 september 1968. Maar destijds speelde hij terugkomend van een blessure in het tweede elftal van Ajax. En voor het thuisduel tegen Tsjechoslowakije in april 1969 meldde hij zich inderdaad af met een enkelblessure terwijl hij daarvoor en daarna gewoon voor Ajax uitkwam. Maar in de rest van de wedstrijden had hij gespeeld, of ontbrak hij vanwege een blessure ook al in de Ajax-duels voorafgaande aan de interland.

Cruijff maakte met zijn op het geld gerichte antwoord een ander punt duidelijk: net als bij zijn club was voetballen met de nationale ploeg een zakelijke handeling geworden. Hij was *fullprof* – 'De mensen maken de fout voetbal als een sport te zien. Voetballen is een vak.' – en volgens Cruijff was de nationale voetbalbond daarvan te weinig doordrongen. Zo was er pas sinds kort een regeling getroffen voor tijdens interlands opgelopen blessures.

'Pas sinds een half jaar, alweer na onze grote bek, past de KNVB bij,' zei Cruijff. 'Van de club krijgen we tachtig procent. De KNVB heeft toegezegd de resterende twintig procent te betalen. Maar de bond is niet snel met betalen. Ik ben in Polen geblesseerd geraakt. Ik miste twee wedstrijden voor Ajax. Die twintig procent heb ik nu nog niet gehad.'

Tijdens die wedstrijd, de voorgaande interland op 7 september in Katowice, had Cruijff als centrumspits een sterke eerste helft gespeeld. Bij rust had Nederland een 1-0 voorsprong dankzij rechtsbuiten Henk Wery. Maar in de tweede helft wist Polen met fysiek keihard spel toch een 2-1 onterechte overwinning te behalen, ook dankzij een door Wery gemiste strafschop.

'De Kater van Katowice' betitelde Maarten de Vos in *De Tijd* de onverdiende nederlaag. Daarbij was hem in de tweede helft ook een angstig voetballende Cruijff opgevallen. 'Bij een uitgooi van Jan van Beveren reageerde hij schrikachtig, waardoor een Poolse verdediger aan de bal kon komen en de aanval inleiden, waaruit Lubanski het winnende doelpunt (2-1) maakte. Dit tot grote woede van zijn medespelers, die achteraf mopperden over de angst van de Grote Cruijff.'

V

'Gevaarlijke uitval over links... Georgiev. O-la-lá... Asparoechov doorgekopt... En een doelpunt, ja-uh, een heel mooi doelpunt.'

Kijkend vanaf de tribune van het Feyenoordstadion had Herman Kuiphof weinig woorden nodig om in de zestigste minuut van de wedstrijd de aanval van het Bulgaarse team voor de televisie te becommentariëren. Wat hij en alle televisiekijkers zagen, was hoe centrale middenvelder Hristo Bonev de bal op zijn eigen helft kreeg aangespeeld, zo'n twintig meter voor de middenlijn. Met een lichaamsschijnbeweging glipte hij langs vaste bewaker Nico Rijnders waarna Bonev – en niet Georgiev, die in de rust was gewisseld – met de bal aan de voet een uitval van het Bulgaarse team in gang zette.

Eenmaal op de Nederlandse helft werd hij na twintig meter aangevallen, waarna Bonev de bal door de benen van Van Hanegem ('O-la-lá') speelde naar de centraal opgestelde invaller Michajlov. Hij probeerde de doorgelopen Bonev te bereiken met een steekpass, maar die werd door Van Hanegem half geblokt, waardoor de bal met een rare boog op het hoofd van Asparoechov belandde.

De Bulgaarse centrumspits, staand op zo'n twintig meter van het doel, kopte de bal met gevoel in de loop van Bonev. Door het ongelukkige toucheren van Van Hanegem waren de Nederlandse verdedigers uit positie. De doorgelopen Bonev schoot de bal vanaf tien meter hard onder het lichaam van keeper Treijtel in het Nederlandse doel: 1-1.

'Ik dacht dat ze tactisch behoorlijk sterk waren. Maar dit was een grote fout. Toen ze ineens zo in de breedte gingen combineren wisten wij niet wat we zagen,' zei de Bulgaarse coach Stefan Boskov na afloop over de beslissende opleving van zijn ploeg in het eerste kwartier na de rust.

'We hebben gewoon te slap gespeeld in het begin van de tweede helft. We dachten zeker dat we er al waren,' zei de centrale verdediger Rinus Israel van Feyenoord na afloop.

'Het ging zo ijselijk koel. Ze doen gewoon even hun plicht, maken een goal en daarmee af,' zei invaller-spits Dick van Dijk van Ajax na afloop.

'Ik heb ze nog zo gezegd dat ze moesten blijven doordrukken, dat ze zo spoedig mogelijk die tweede goal moesten proberen te maken,' zei Kessler na afloop.

Toch wilde hij niemand enig verwijt maken, al dacht hij wel dat het Nederlands elftal zichzelf tekort had gedaan. 'Misschien ligt dat wel in de aard van de Nederlanders,' zei de in Duitsland geboren bondscoach, 'en is er sprake van een soort nationaal minderwaardigheidscomplex.'

VI

Daags na de uitschakeling werden de analyses in de kranten gekenmerkt door algehele acceptatie van het verlies. De Bulgaren verdienden als beste ploeg plaatsing voor het WK van 1970 in Mexico. Het Nederlands elftal had op het moment dat het echt moest gefaald. De inmiddels tweeënzeventigjarige Ad van Emmenes zette in zijn verhaal voor *Sport en Sportwereld* de uitschakeling in historisch perspectief. Het gelijke spel was 'geen oneervol resultaat' geweest. 'Maar het was precies niet genoeg, zoals wij ook in 1957 tegen Oostenrijk en in 1965 tegen Zwitserland en Noord-Ierland de aansluiting misten.'

In die wedstrijden had Nederland ook gespeeld met een goede en sterke verdediging. En in die wedstrijden ontbrak ook een 'afwerker'. De door Van Emmenes geopperde 'grote afwezige' Johan Cruijff had het gewenste goalgetterschap met slechts drie treffers in zeven interlands ook nog niet bewezen. 'We hebben ze niet, de mensen die op beslissende momenten in het Nederlands elftal kunnen scoren. Vroeger deden Bakhuijs, Smit en Vente het, later Lenstra en Wilkes en ook Van der Linden heeft getoond een koele afmaker van kansen te zijn.'

8

Het zoveelste balcontact van JC

Woensdag 19 juni 1974
Dortmund, aanvang 19.30 uur
WK in West-Duitsland, eerste ronde, in het Westfalenstadion
Nederland – Zweden 0-0

De linksbuiten staart naar zijn dobber. De keeper van het Nederlands elftal doet hetzelfde. Piet Keizer en Jan Jongbloed delen tijdens de eindronde van het WK in West-Duitsland meer dan hun aanwezigheid in de selectie. Beiden zijn Amsterdammer, al wat ouder – Jongbloed drieëndertig en Keizer sinds drie dagen eenendertig – en ze zijn allebei grote visliefhebbers. Het merendeel van de spelersgroep heeft het na vijf dagen in het Waldhotel Krautkrämer in Hiltrup al wel gehad met de beperkte ontspanningsmogelijkheden: pingpong, tennis, zwemmen, vissen en een kaartje leggen.

Maar Jan en hij vermaken zich prima met een hengel. Gisteren waren ze speciaal naar het dichtbijgelegen Münster gereden om deugdelijk visgerei aan te schaffen. En zijn badkuip doet inmiddels dienst als bruikbaar reservoir voor aas.

Het is lekker weer op deze maandagochtend. Jan en hij zijn vroeg opgestaan, waarna ze in de keuken brood, melk en wat fruit hebben gehaald. Ook thuis in Amsterdam vist Keizer graag, alleen of met een maat. Dan gaan ze 's morgens, rond zonsopgang, op pad. Nemen voldoende brood en koffie mee voor de rest van de dag. En dan maar uren turen naar de hengel. In stilte, zwijgend, of als zijn maat mee is enkel zinnen zeggend als 'blijven we hier, of

Nederland-Zweden

zoeken we een ander stekkie'. Meer niet, gewoon genieten van alle kleine handelingen.

Vandaag is dat allemaal lastiger. Dat ligt niet aan Jan, die houdt ook van rust. Vanwege de dreiging van eventuele kidnapping worden de spelers van het Nederlands elftal overal waar ze gaan bewaakt door Duitse politieagenten. Dus ook nu turen twee paar extra Duitse ogen mee naar hun dobbers. Desondanks bijten de vissen goed.

Dat Keizer naast Jongbloed zit is verrassend. De keeper van FC Amsterdam, eigenaar van een sigarenzaak en inmiddels drievoudig international maakte al in 1962 zijn debuut in het Nederlands elftal. In het vriendschappelijke duel in en tegen Denemarken verving hij bij een 3-1 stand in de 84ste minuut Piet Lagarde. De

Denen scoorden nog een vierde doelpunt en na die zes minuten was het met de interlandcarrière van Jongbloed gedaan. Twaalf jaar lang zagen de bondscoaches meer in andere keepers: Eddy Pieters Graafland, Jan van Beveren, Piet Schrijvers en Eddy Treijtel. Maar voor dit toernooi was hij ineens weer geselecteerd.

Tijdens de voorbereiding bleek eerste keus Van Beveren te geblesseerd om te spelen. Hij verliet de selectie, waardoor Jongbloed in de serieuze oefenwedstrijd tegen Argentinië in de basis stond. Pas daarna besloot Cruijff dat middenvelder Haan laatste man moest spelen: een experiment dat sinds de gewonnen openingswedstrijd tegen Uruguay (2-0) als geslaagd geldt. Maar de verhalen dat Jan alleen zou spelen omdat Cruijff zo nodig een meevoetballende keeper wilde waren dus onzin.

Natuurlijk kon hij ver uit zijn doel komen om bij een mislukte buitenspelval als laatste man op te treden, maar de keuze voor Jongbloed als keeper was eerder gemaakt. Of Rinus Michels, de speciaal voor dit toernooi als supervisor aangestelde coach van Barcelona, die beslissing nam, of toch Cruijff, doet er ook daarom niet toe. Jongbloed speelt, net zoals Rob Rensenbrink dat doet op zijn linksbuitenpositie.

Dat Keizer in Hiltrup is, is niet meer dan logisch. Tezamen met Cruijff gaf hij vorm en inhoud aan het elftal van Ajax dat in de voorgaande jaren drie Europacups op rij wist te winnen. Michels had als trainer met zijn nadruk op discipline en het overschakelen naar het 4-3-3 systeem het belangrijke fundament gelegd. Maar de coach was na één Europacup al vertrokken. Cruijff en hij hadden zich vervolgens ontpopt als de bepalende persoonlijkheden in het elftal.

Sinds het vertrek vorig jaar van Cruijff naar Barcelona loopt het minder. Net als veel andere Ajacieden heeft Keizer een nogal wisselvallig seizoen achter de rug. Vandaar dat Michels hem niet als basisspeler in de selectie heeft opgenomen. De supervisor, soms dagen afwezig omdat hij naar Barcelona is om het clubteam te coachen in duels voor de Spaanse beker, ook nog tijdens het toernooi, heeft hem persoonlijk verteld per wedstrijd te kijken naar welke invulling tactisch het beste past. In de openingswedstrijd tegen Uruguay had Rensenbrink van Anderlecht de voorkeur gekregen. Mogelijk speelt hij wel tegen Zweden, de wedstrijd van overmorgen.

Turend naar het water horen Keizer en Jongbloed inmiddels vanuit het hotel luide muziek. Haan is wakker en heeft zijn stereo-installatie aangezet. Het is halftien in de ochtend. Aanvoerder Cruijff ligt nog te slapen.

I

Het moest een nieuwjaarsgeschenk worden. In overleg met uitgever Thomas Rap stelde de dichter en journalist Theun de Winter eind 1973 een bundel met elf gedichten samen met als enige onderwerp: Piet Keizer. Rap en hij hadden allerlei dichters gevraagd voor een bijdrage. In overstemming met het rugnummer van de linksbuiten moesten het precies elf gedichten worden. Niet iedereen was direct enthousiast over het idee.

De achtentachtigjarige Adriaan Roland Holst liet Rap weten 'dat voetbal' te verafschuwen. Geen enkel probleem, vond de uitgever. Reden te meer om daar op die wijze dan over te dichten. 'Zelfs dat is het niet waard,' antwoordde Roland Holst. En ook de eenentachtigjarige Victor V. van Vriesland waagde zich liever niet aan het onderwerp.

Toch lukte het een dichtbundel met de titel 'Elf gedichten voor Piet Keizer' in een oplage van vijfhonderd exemplaren te maken met bijdragen van onder meer Adriaan Morriën, Nico Scheepmaker, Jan Wolkers en Remco Campert.

In het voorwoord schreef De Winter een vraaggesprek dat hij had met Keizer. Daaruit bleek dat de linksbuiten van Ajax de bundel 'modieus' vond. 'Voetballen is duidelijk in op dit moment en gedichten over voetballen misschien ook.'

Verder had Keizer – net als de oudere generatie dichters – er niet zoveel mee. 'Mijn gedachten staan erbuiten en daadwerkelijk sta ik erbuiten,' zei hij. 'Er wordt door anderen een stukje van mij gepikt, zonder dat ik er iets aan kan doen. Ik ben er misschien wel tegen, maar dat heeft geen zin. Als dit een wedstrijd is, heb ik nu duidelijk verloren.'

II

Het is de tweede minuut van de wedstrijd Nederland-Zweden. Arie Haan heeft de bal van keeper Jan Jongbloed gekregen. Driftig zoekend naar een opening drijft de laatste man de bal op, totdat Keizer, met een Zweedse verdediger in de rug, zich op de middenlijn aanbiedt. De strakke pass van Haan over de grond kaatst hij in één keer terug, waarna Haan de aan de zijlijn staande linksback Ruud Krol inspeelt.

Inmiddels loopt centrumspits Johan Cruijff in de door Keizer gecreëerde ruimte en wijst met een vinger naar zijn rechtervoet. Daar wil de aanvoerder de bal hebben. Krol tikt deze naar Cruijff, en loopt direct langs de linkerzijlijn naar voren waardoor zijn Zweedse directe tegenstander met hem meeloopt. Cruijff heeft zo'n tien meter vrije ruimte voor zich.

Dreigend, maar nog rustig dribbelend, zoekt Cruijff de tegenstander voor zich op. Het is rechtsback Jan Olsson. In afwachting van zijn Nederlandse tegenstander loopt de Zweed naar achteren. Drie meter voordat Cruijff bij Olsson is, besluit hij tot een korte kapbeweging met de buitenkant van zijn rechterschoen.

Cruijff raakt de bal iets te hard, waardoor de op eigen helft lopende Zweedse spits Ralf Edström deze van hem kan afpakken. De Nederlandse centrale verdediger Wim Rijsbergen ziet dat, loopt direct fel op Edström in en ontfutselt hem weer de bal. De Canadese scheidsrechter Werner Winsemann oordeelt onrechtmatig: vrije trap voor Zweden.

De harmonische samenwerking van de spelers is tekenend voor het Nederlands elftal. Het balverlies van Cruijff is een uitzondering: een van de zes uitzonderingen deze wedstrijd. De rest van zijn in totaal vierentwintig solo's tegen het Zweedse team slagen en stichten gevaar.

Tijdens het verdere toernooi zal Cruijff in geen enkele wedstrijd méér soloactie's maken. Ook mislukken tegen de Zweden slechts vier van de eenenveertig passes en geeft hij liefst twintig voorzetten, doet hij vier doelpogingen en pakt hij twee keer succesvol de bal af van een tegenstander.

Deze geturfde cijfers zijn indrukwekkend. Maar te midden van de in totaal eenennegentig balcontacten is er één actie, gemaakt in de 23ste minuut van de eerste helft, die er voor de eeuwigheid uitspringt. Het is geen doelpunt, geen briljante voorzet of steekpass en ook geen zware overtreding. Het is een gewone passeerbeweging. Tenminste, gewoon voor als je uit Nederland komt.

Eerst maar eens dat wat eraan voorafging; de 22ste minuut. Jongbloed hervat het spel nadat hij kort achter elkaar redding bracht bij twee serieuze Zweedse scoringskansen. De keeper geeft Haan de bal. De laatste man passt direct naar Cruijff, die op de linksbackpositie loopt. De aanvoerder drijft de bal op en speelt naar de op de middenlijn lopende Rijsbergen. Na diens aanname ziet hij dat Neeskens zich met een Zweedse verdediger in zijn rug aanbiedt. Rijsbergen passt naar de middenvelder. Neeskens kaatst direct op de vrijstaande Van Hanegem in de middencirkel. Met de bal aan de voet zoekt en vindt hij contact met Keizer aan de linkerkant. Pass Van Hanegem, kaats Keizer: een geslaagde één-twee langs twee Zweedse tegenstanders, waarna Van Hanegem wordt getackeld. Vrije schop voor Nederland.

Vanaf zo'n dertig meter vanaf de achterlijn draait Keizer de bal richting tweede paal. Neeskens wint het luchtduel en kopt de bal richting strafschopstip. Rep komt te laat en een Zweedse verdediger schopt de bal hard en hoog weg. Suurbier tikt deze stuiterende bal in één keer naar Neeskens aan de rechterzijkant. Hij staat tussen twee Zweedse spelers en bereikt, na goed afschermen van de bal, met een wippertje Rijsbergen, die direct doorspeelt naar de ingeschoven en vrijstaande Haan. De laatst man legt de bal nog even goed en opent met een diagonale, hoge pass naar Cruijff die links van het Zweedse strafschopgebied staat.

Dat was wat voorafging. Dit is het eeuwigdurende moment.

Cruijff, zo'n vijf meter verwijderd van de achterlijn, heeft de door Haan gegeven bal niet direct onder controle. Maar op het moment dat de Zweedse verdediger Jan Olsson naar de bal stapt, tikt Cruijff deze weg en draait hij zijn lichaam een halve slag. Zo heeft hij de bal voor zich en tegenstander Olsson in zijn rug.

Hij tikt de bal weer iets van zich af.

Olsson wacht, zet Cruijff voor met rechts, en blokt de voorzet.

Het lichaam van Cruijff telefoneert precies die actie. Olsson reageert, waarna Cruijff de bal achter zijn linkerbeen langs kapt, het lichaam een halve slag draait en langs Olsson glijdt. Onwetend over wat er zojuist gebeurde, valt de Zweed een klein beetje naar achteren. In een fractie van een seconde is hij volledig te kijk gezet.

De wedstrijd vervolgt met een voorzet van Cruijff met buitenkant rechts. Van Hanegem neemt de bal aan en struikelt over een Zweeds been. Geen strafschop, oordeelt scheidsrechter Winsemann. Het gevaar is direct geweken. Maar de veroorzaker, het zoveelste balcontact van Cruijff in deze wedstrijd, het in de luren leggen van de Zweed Jan Olsson, is zojuist toegetreden tot het mondiale voetbalgeheugen.

Cruijffs kap-achter-het-standbeen: voor Nederlanders gewoon, voor de rest van de wereld langzaam maar zeker steeds meer iconisch.

III

'We zijn de enigste ploeg wie dus, waar defensief gevoetbald is, wie dus zeven, acht kansen gecreëerd hebt, dat wil zeggen dus, dat het veldspel erg goed verzorgd was. Alleen ze zijn niet gemaakt. Maar ja dat is dus, dat heb ik net uitgelegd, een andere zaak.'

Daags na de wedstrijd tegen Zweden stond Johan Cruijff, gekleed in een blauw shirt met een v-hals en een blauw trainingsjack, een verslaggever van de NOS te woord. Ondanks dat hij sinds twee dagen last had van diarree door een virus – bondsarts Kessel sprak van een 'vervelend maag-darmbeest' – oogde de aanvoerder van het Nederlands elftal redelijk ontspannen. Direct na de in 0-0 geëindigde wedstrijd had hij aan de gehele (inter)nationale pers verteld dat 'voetballen en goals maken twee verschillende dingen zijn'.

'Ze hebben niets met elkaar te maken,' noteerden de journalisten. 'Iedereen die op een voetbalveld loopt kan een doelpunt maken, maar die hoeft nog niet goed te kunnen voetballen.'

Ook voor de camera's van de NOS legde Cruijff dit verschil uit – tussen het vertoonde spel en het uiteindelijke resultaat – en hij zei dat het missen van de kansen hem geen enkele zorgen baarde. 'Het is erger, als je dus twee kansen per wedstrijd krijgt, en dan mis je die, dan denk je, Jezus Christus, ik krijg er maar twee, die moeten er nou in.'

IV

De aandacht was de laatste jaren danig gegroeid. Helemaal begreep hij het niet, maar elke keer als op Google de zoektermen 'Cruyff' en 'turn' werden ingetoetst, bleken de bezoekersaantallen weer gegroeid en hadden nog weer meer ogen hem gezien. En dat hij als gepensioneerde veertig jaar later, in zijn vakantiehuis zo'n vijftig kilometer buiten Malmö, werd opgebeld door een Nederlandse journalist om te praten over een 0-0 wedstrijd. Dat zei natuurlijk ook wel iets.

Op papier was Piet Keizer in elk geval zijn tegenstander geweest. Maar ja, wat betekende op papier bij dat Nederlands elftal van 1974. De linksback kon rechtsbuiten staan, waarna de spits diens positie overnam, zodat er ruimte kwam voor een diepgaande middenvelder. Of dan wisselenden opeens alle middenvelders en spitsen kruislings met elkaar. De Nederlandse spelers waren voortdurend in beweging en wisselden vaker van positie dan je op papier kon beschrijven. Niet zo vreemd dat ook de Zweedse kranten het Hollandse spel destijds betitelden als 'Dutch Clockwork' en iedereen ook opeens sprak over 'Total Football'.

De manier waarop alle Nederlandse spelers in hun openingswedstrijd tegen Uruguay naar voren sprintten om de aanvallers buitenspel te zetten was zó indrukwekkend geweest. Het elftal leek op een zwerm spreeuwen, tezamen jagend op het kostbaarste bezit: de bal. De snelheid en de gedrevenheid maakten dat de ruim vijftig jaar oude buitenspelval opeens een geheel nieuwe frisse aanvallende tactiek bleek.

De Zweedse coach George Ericsson had zijn elftal, helemaal nadat hij de beelden van de wedstrijd tegen Uruguay nogmaals had bekeken, vooral verdedigend geïnstrueerd. Een gelijkspel leek het hoogst haalbare. Daarbij was Jan Olssons taak aanvankelijk om Rob Rensenbrink af te stoppen en ook proberen aan te vallen. Al leek dat laatste wel lastig, omdat Cruijff graag vanaf de linkerkant het spel verdeelde.

Toen in de wedstrijd bleek dat Keizer op de positie van Rensenbrink stond was er verwarring noch opluchting. Daarvoor waren de Hollandse aanvallen te talrijk geweest. Zweden had ook een paar goede doelkansen. Maar Olsson beperkte zich tot aan zijn wissel in de 74ste minuut tot verdedigen. En met succes, want uiteindelijk was het gewenste gelijkspel behaald.

Dat was na afloop ook het overheersende gevoel. Zweden had een punt gewonnen. Holland een punt verloren. Uiteindelijk bereikte ook Zweden de tweede ronde en speelde Holland de finale tegen West-Duitsland.

Maar voor Olsson was dat van ondergeschikt belang. In de 0-0 wedstrijd tegen Holland was iets gebeurd dat hem de rest van zijn leven zou achtervolgen. Op het moment zelf was hij zich daar niet bewust van; dat kon ook eigenlijk niet. Al was hij er na de wedstrijd wel op aangesproken, ook toen al op een vriendelijke manier.

Zijn reacties op de actie – het gezicht de verkeerde kant op gedraaid, het achterover vallen, het korte moment waarin hij de bal geheel kwijt leek te zijn – ze hadden allemaal ook wel iets komisch. Dat begreep Olsson. En uiteindelijk had het ook geen doelpunt tot gevolg. Dus hij kon er prima mee leven. Pas later zou hij begrijpen dat juist die drie reacties iets van eeuwigheidswaarde baarden.

Allereerst was er de beweging. Cruijff de uitvinder noemen van de kap-achter-het-standbeen was historisch aanvechtbaar. Toch maakte hij eind jaren zestig in Nederland de schijnbeweging groot. Door de overtuigende manier waarop hij deze maakte. En doordat anderen de nadrukkelijkheid ervan opviel.

'Ik heb 'm die manoeuvre alleen op de linkerkant zien uitvoeren, waarschijnlijk omdat het een subtiele beweging is en hij er zijn rechterbeen als precisie-instrument bij nodig heeft,' schreef Nico Scheepmaker al in 1972 in zijn boek *Cruijff, Hendrik Johannes, fenomeen.* Volgens de Nederlandse dichter, journalist en columnist betrof het de Derde van de Vijf Gulden Handelingen: een 'passeerbeweging-achter-het-standbeen-om'.

Over het waarom achter de beweging schreef Scheepmaker niet. Maar het had te maken met het standbeen van de verdediger. De latere Cruijff zou dat als volgt beredeneren:

a: met je standbeen kun je niet reageren,
b: dreigen met een voorzet dwingt de verdediger te kiezen voor een standbeen,
c: met een kapbeweging achter je eigen standbeen passeer je automatisch aan de kant van het standbeen van de verdediger.

Het logische gevolg van de combinatie a,b,c maakte dat d: de passeerbeweging in principe niet te verdedigen was. Niet voor niets betitelden de Engelstalige media Cruijff na het WK van 1974 als 'Pythagoras op voetbalschoenen' en kreeg de kapbeweging-achter-het-standbeen na de live-betiteling van de BBC-verslaggever als '*a beautiful dummy*' in de jaren daarna de officiële naam 'Cruyff-turn'.

Maar daarnaast waren het podium – het wereldkampioenschap voetbal, over de hele wereld bekeken door miljoenen televisiekijkers – en de reacties van Olsson ook van cruciaal belang. Dat werd heel duidelijk in de herhaling. Kijk, daar staat de R van Replay rechtsboven al in het beeldscherm.

R

Cruijff, zo'n vijf meter verwijderd van de achterlijn, heeft de door Haan gegeven bal niet direct onder controle. Maar op het moment dat de Zweedse verdediger Jan Olsson naar de bal stapt, tikt Cruijff deze weg en draait hij zijn lichaam een halve slag. Zo heeft hij de bal voor zich en tegenstander Olsson in zijn rug.

Hij tikt de bal weer iets van zich af. Olsson wacht. Zet Cruijff voor met rechts, dan blokt hij de voorzet. Het lichaam van Cruijff telefoneert deze actie. Olsson, staand op zijn rechterbeen, reageert. Cruijff kapt de bal achter zijn linkerbeen langs. Olsson wendt zijn gezicht juist de andere kant op. Cruijff draait het lichaam een halve slag. Olsson probeert te herstellen, maar struikelt over zijn standbeen en valt achterover. Cruijff is langs hem. Olsson begrijpt nog steeds niet precies wat er is gebeurd.

R

V

Ergens in het Spaanse voetbalseizoen direct na het WK 1974, waarschijnlijk al in de voorbereiding, spraken de aanvoerder van het Nederlands elftal en de aanvoerder van het Braziliaanse elftal als teamgenoten van Barcelona met elkaar. In de halve finale van het WK had de eerste, Johan Cruijff, de tweede, Marinho Peres, verslagen met 2-0. Het was, zoals linksback Krol zich Nederland – Brazilië later zou herinneren, 'de beste wedstrijd, de hardste wedstrijd – alles zat erin. Er werd mooi gevoetbald, mooi gecombineerd en ook smerig gevoetbald.'

Verdediger Peres was vooral onder de indruk geweest van de wijze waarop Nederland voortdurend massaal de buitenspelval opende. Van jongs af aan had hij geleerd dat als een medespeler probeerde de bal te veroveren je dan altijd zorgde voor rugdekking. Met de gehele verdediging naar voren lopen was zelfmoord. Als nieuwe aankoop van Barcelona verlangde de coach Rinus Michels van centrale verdediger Marinho precies dat: zelfmoord. Michels wilde namelijk dat ook de Braziliaan bij het Spaanse clubteam meedeed aan het zogenaamde doorjagen op de bal.

Cruijff legde hem op een goede dag uit waarom Nederland tijdens het WK zo speelde. De basis was, verrassend genoeg, dat Nederlandse spelers technisch vele malen inferieur waren aan de Brazilianen. 'En daarom verliezen we op een groot veld altijd van jullie,' zei Cruijff.

De oplossing was het speelveld – dat gedeelte waarin daadwerkelijk gespeeld kon worden – kleiner te maken, door als een zwerm spreeuwen massaal naar voren te rennen. Cruciaal was dan wel dat het jagen met snelheid gebeurde én gericht op de bal. Alleen dan werd de speler in balbezit verrast en hem de mogelijkheid ontnomen een oplossing te zoeken.

Die combinatie maakte de buitenspelval ineens tot een serieuze offensieve tactiek. Cruijff en het Nederlands elftal hadden van een nadeel een voordeel gemaakt. Ineens begreep Peres waarom die Hollanders tijdens het WK zo speelden.

VI

Piet Keizer, de beoogd linksbuiten voor de tweede helft van de WK-finale op deze zondag 7 juli 1974, strikt de veters van zijn voetbalschoenen. Direct bij binnenkomst in de klein uitgevallen kleedkamer in het Olympiastadion in München zei Rensenbrink tegen Michels toch te veel last te hebben van de spierblessure in zijn rechterdijbeen. Opgelopen in de halve finale tegen Brazilië had hij de afgelopen dagen in het hotel vooral rondgehinkt. Michels had aan Keizer gevraagd of hij eventueel kon spelen als de blessure van Rensenbrink hardnekkig bleef.

Dolgraag, had hij geantwoord.

Gisteravond vertelde Michels ook aan de gehele spelersgroep dat hij zou spelen als Rensenbrink niet fit was. Maar vanochtend doorstond Rensenbrink verrassend genoeg een zeer pittige fysieke test en dus had Michels hem opgesteld.

In de eerste helft, de Duitsers hebben een 2-1 voorsprong, deed Robbie overigens weinig goeds. Wellicht had zijn meespelen toch iets te maken met zijn schoenencontract. Net als Cruijff speelt Rensenbrink op Puma. Hij krijgt daarvoor per gespeelde wedstrijd een vergoeding en de finale zou hem zelfs een speciale bonus van 25 000 gulden opleveren.

Of dat klopt, weet geen van de spelers. Maar Michels zou hem nooit geblesseerd laten spelen. Daarbij zijn ze profs. Voorafgaande aan het toernooi hebben ze als groep zelfs nog gedreigd met een boycot als de KNVB vasthield aan hun eerste aanbod van 25 000 gulden voor een finaleplaats. Inmiddels staat de teller voor verschillende spelers al boven de 100 000 gulden.

Keizer staat op en loopt naar een massagetafel in de doucheruimte. Michels is in het washok, verbonden aan de kleedkamer. Een scheidingswand onttrekt de supervisor aan het zicht van Keizer. De zorgen van Michels en de naar het washok gelopen Cruijff betreffen de daar op een massagetafel liggende Rijsbergen, ook al geblesseerd. In één keer twee wissels, dan zijn alle mogelijkheden om te veranderen gebruikt.

Keizer gaat zitten op de massagetafel. Rinus Israël helpt hem met het uitdoen van zijn trainingspak. De keiharde verdediger van Feyenoord heeft al drie wedstrijden in mogen vallen. Maar ook als Israel niet speelde kon het elftal uitdelen. Naast goed gevoetbald is er, als het noodzakelijk was, ook hard gespeeld. Voor de fair playprijs zijn ze niet gekomen. Verder oogt Johan vermoeid. De flair van het begin lijkt verdrongen door de gevoelde druk van het toernooi. In de eerste helft was zijn spel vol irritatie.

Misschien kwam het door de laatste week. Door dat gedoe met het zwembad in de kelder van het hotel. Elke avond was er wel iets te beleven geweest: zelf had Keizer voor tijdens het kaarten in een nis achter zijn badkamerspiegel een fles jenever staan. Maar op de avond van 30 juni was de 2-0 overwinning op de DDR aanleiding geweest voor een speciaal feest. De Volendamse band The Cats was overgekomen voor een optreden en uiteindelijk was Cruijff met drie andere spelers en drie Duitse meisjes naar het binnenzwembad gegaan. Er was naakt gezwommen, wat gedronken: alles allemaal heel onschuldig. Maar op dinsdag 2 juli, de dag voor de halve finale tegen Brazilië, verscheen in het Duitse boulevardblad *Bild* een verhaal met de pakkende kop 'Cruyff, Sekt, nackte Mädchen und ein kühles Bad'.

Ondanks het summiere verhaal en de plek van publicatie – *Bild* drukte het niet op de voorpagina af, maar pas op pagina 5 – riep Michels iedereen bij elkaar en bepaalde dat de spelers in algemene termen het voorval zouden ontkennen. De media moesten begrijpen dat het een Duitse hetze betrof. Een goede zet van de supervisor, maar wel buiten de spelersvrouwen gerekend. Heel wat jongens hadden gezeur gehad, maar vooral Johan moest ongelofelijk lang bellen met Danny.

Iedereen had dat gezien, omdat ook Cruijff gebruik moest maken van het witte telefoonhokje tegenover de receptiebalie van het Waldhotel, de enig beschikbare telefoon. Danny had Johan in dat hokje urenlang laten zweten.

De bel klinkt voor het begin van de tweede helft. In het washok heeft Rijsbergen aan Michels gezegd de pijn te willen verbijten. De supervisor loopt naar de kleedkamer en zegt, zonder ook maar één blik in de richting van Keizer: 'Kerkhof, omkleden.' Volkomen verbaasd, maar gehoorzaam en blij, doet René van de Kerkhof zijn trainingspak uit. Op de massagetafel in de doucheruimte zit een verbijsterde Piet Keizer.

VII

'Hooolland wint de wee-reldcup. Hooolland wint de wee-reldcup. Holland wint de wereldcup! Lalalalalala.'

Na afloop van de door hen met 2-1 gewonnen WK-finale beleefden de Duitse spelers Wolfgang Overath, Gerd Müller en Horst-Dieter Hötgess veel plezier aan het zingen van dit Nederlandse lied. Berti Vogts, de bewaker van Cruijff, zong niet mee. Uren na de finale piekerde hij nog na over zijn gedrag. Hoe hij Cruijff voortdurend dicht op de huid zat: hard op de bal, maar ook hard op de man. Tevreden had hij gezien hoe Cruijff, om hem te ontlopen, zich liet terugzakken op eigen speelhelft. 'Daar was ik blij om maar aan de andere kant dacht ik: Berti, je vermoordt een voetballer.'

Enkele uren later, zo'n duizend kilometer westwaarts, klonk uit de kelen van Nederlandse fans veel gezang. De spelers van het Nederlands elftal waren door enthousiaste fans al feestelijk onthaald op Schiphol. Daar had linksbuiten Rob Rensenbrink van een Puma-vertegenwoordiger een envelop met 10 000 gulden ontvangen. Daarna belandde het hele elftal via het Olympisch Stadion en een rondtour in auto's door Amsterdam op het balkon van de Stadsschouwburg. Er werd gelachen. Er werd gejuicht. Er werd gezongen. En de camera's van het Polygoon-journaal filmden hoe een grote opgeblazen voetbal over de mensenmassa op het Leidseplein rolde.

Later in de bioscoop werden de zwart-witbeelden – ondanks de aanschaf van tienduizenden kleurentelevisies voorafgaand aan het toernooi bekeek het merendeel van de Nederlanders het WK in zwart-wit – voorzien van commentaar.

'Het is toch nog een grote happening geworden,' zei Philip Bloemendal. 'De terugkeer van het Nederlands elftal uit Duitsland, waar het net geen goud won, maar met zilver genoegen moest nemen.'

De NOS, natuurlijk ook aanwezig bij de huldiging, vroeg supervisor Michels of hij een dergelijke massale opkomst had verwacht. 'Eerlijk gezegd niet nee,' zei Michels. 'We wisten natuurlijk wel dat er iets losgemaakt was, maar dat het nog zo na zou werken, nee.'

9

De wedstrijd van mijn vader

25 juni 1978
Buenos Aires, aanvang 15.15 uur
WK-finale in het Estadio Monumental
Argentinië – Nederland 3-1 (n.v.)

Ook hij keek. Ook hij sprak. Ook hij verloor die zomerse zondagavond van de 25ste juni 1978. En net als alle Nederlanders werden ook wij voor de tweede keer vicewereldkampioen; alleen hij natuurlijk wel stukken minder. Of misschien juist wel stukken meer.

Dat ik dat niet weet – meer of minder – is nooit meer te veranderen. Toch wil ik weten wat er gebeurde op een voetbalveld aan de andere kant van de wereld. Wat zich afspeelde voor onze ogen, toen hij en ik op de bank zaten te kijken naar de WK-finale van 1978. Weten dus hoe wij speelden tegen het thuisland Argentinië.

Hij was mijn vader en in mijn ogen kampioen. Daarbij was hij zich bewust van het vorige verlies in 1974. Al weet ik niet of hij die finale tegen West-Duitsland inderdaad ook zag. Zo zegt mijn gevoel minder vicewereldkampioen, maar dicteert de gedachte juist meer.

Wat hij zei? Geen idee.

Wat hij dacht? Geen idee.

Wat hij zag? Ik vermoed dus dezelfde wedstrijd als ik.

Dat het een vermoeden is, komt omdat ik inmiddels zoveel meer weet over die wedstrijd. Allemaal feiten die hij had kunnen weten. Allemaal feiten ook die het beeld van de wedstrijd telkens doen kantelen.

Argentinië-Nederland

Zo waren er allerlei schermutselingen vooraf.

Gezeur over geld. Gedoe met de technische staf: supervisor Ernst Happel en bondscoach Jan Zwartkruis. Het niet-meegaan van Johan Cruijff, Willem van Hanegem en Johnny Dusbaba. Waarbij de laatste, een verdediger van Anderlecht, paste in een grotere groep van afzeggingen, al was zijn reden wel zeer opmerkelijk. Het zien van een televisiedocumentaire over een opstand in Zaïre vier dagen voor vertrek naar Argentinië maakte Dusbaba te angstig.

Deze angst was ook ingegeven door de morele verontwaardiging over het houden van een voetbaltoernooi in een land waar generaal Jorge Videla sinds zijn militaire machtsovername in 1976 op grove wijze de mensenrechten schond. Hoewel de ideeën van het merendeel van de spelers daarover weer krachtig werden verwoord door middenvelder Willy van de Kerkhof. 'Al staat bij wijze van spreken Hitler daar op het bordes, dan nog nam ik hem in ontvangst, als 'ie maar echt is, die beker,' antwoordde hij op de vraag van een journalist of hij de wereldbeker uit de handen van Videla zou accepteren. Maar voordat daar ook maar enige sprake van kon zijn moest er eerst worden gevoetbald. En dat ging ook dit toernooi gepaard met de nodige voorvallen en voldongen feiten.

Er was een ongekende verveling bij de spelers in hun hotel in Potrerillos, een afgelegen plek in de bergen nabij Mendoza. Kleine kamers. Geen enkel vertier. Ondeugdelijke televisie-antennes en telefoons. En elke ochtend werden ze in alle vroegte gewekt door hard balkende ezels.

Er was te hoog gras in het voetbalstadion van Mendoza, de vaste speelstad voor de eerste ronde. De speciaal door Adidas voor het WK vervaardigde tangoballen stropten voortdurend. En het vertoonde spel was zeer matig. Desondanks plaatste Nederland zich met enig geluk voor de tweede ronde.

En toen was er ineens, gedwongen door blessures van Johan Neeskens en Wim Rijsbergen, een sterk en krachtig Nederlands elftal.

Met jongelingen Jan Poortvliet (22), Piet Wildschut (20) en Ernie Brandts (22) in de basisopstelling won Nederland met 5-1 van Oostenrijk. De verbazing hierover bleek uit het commentaar van NOS-verslaggever Theo Reitsma bij het vierde doelpunt: een intikker van Rep na een uitgekiende rush van Rensenbrink. 'Het is 4-0. Ja, het is gewoon 4-0, en dan blijkt toch weer de waarde ineens van die merkwaardige heren voorin, of merkwaardige heren, het zijn gewoon erg goede voetballers. Ineens zijn ze d'r. Daar komt die flits, en dan heb je een doelpunt. Rob Rensenbrink, Johnny Rep attent.'

Ineens waren ze d'r dus weer. En na een 2-2 gelijkspel tegen West-Duitsland en een 2-1 winst tegen Italië speelde Nederland ook zomaar ineens weer een WK-finale. Argentinië was de tegenstander, omdat het op 21 juni in het stadion van Rosario in een wonderlijke wedstrijd met 6-0 van Peru had gewonnen. En vanaf dat moment werden de omstandigheden van de finalewedstrijd pas echt duidelijk.

Hoe het Argentijnse elftal, '*La Nuestra*', Het Onze, speelde: een voetbalstijl die teruggreep op het zeer aanvallende Argentijnse spel van de jaren vijftig, maar tegelijkertijd ook het kenmerkende keiharde voetbal van de jaren zestig geen enkel moment schuwde.

Hoe coach César Luis Menotti maandenlang met zijn selectie had kunnen trainen, waardoor hij zeker wist dat de betere fysieke gesteldheid van zijn spelers uiteindelijk de doorslag zou geven.

Hoe deze coach van het Argentijnse team als een van de weinigen prominenten in Argentinië de petitie van de Dwaze Moeders had getekend, tezamen met de schrijver Jorge Luis Borges.

Hoe gedurende het toernooi op het Plaza de Mayo, het Meiplein, in Buenos Aires vrijwel dagelijks deze Dwaze Moeders rondliepen: vrouwen met een witte hoofddoek om en een foto van hun zoon of man in hun hand, die zwijgend rondliepen om aandacht te vragen voor de *desaparecidos:* de mensen die zomaar waren verdwenen sinds de komst van Videla.

Hoe Menotti geloofde in de kracht van verbeelding. 'Een team is bovenal een idee. En misschien meer nog dan een idee, een overeenkomst. En misschien nog wel meer dan een overeenkomst de overtuiging van een coach die ervoor zorgt dat zijn spelers het idee van het team te allen tijde verdedigen.'

Hoe hij dat idee, 'La Nuestra' nieuwe stijl dus, keer op keer bevestigd zag op het veld, waarbij Menotti zijn spelers voortdurend vertelde dat zij niet voor het regime speelden, maar voor de vreugde van het volk.

Hoe dat Argentijnse volk de Nederlandse spelersbus op weg naar het stadion danig ophield en waar mogelijk zelfs jonaste.

Hoe de overtuigingskracht van Menotti in het veld werd belichaamd door zijn aanvoerder Daniel Passarella.

En hoe deze aanvoerder de aanvang van de finale met een kwartier vertraagde, omdat hij niet akkoord ging met de ingetapete rechterpols van René van de Kerkhof. Waarna Nederland aan de Italiaanse scheidsrechter Sergio Gonella liet weten massaal op te stappen als de rechtsbuiten niet mocht spelen. Waarna een extra stuk schuimrubber alsnog de oplossing bracht.

Dat dus allemaal, en verder ook nog:

Dat er keihard werd gespeeld. De hele finale lang werd door de Nederlandse en Argentijnse spelers uitgedeeld en geïncasseerd. Scheidsrechter Gonella liet de meeste overtredingen ongestraft.

Dat beide landen grote kansen kregen om te scoren.

Dat in de eerste helft alleen Argentinië een doelpunt maakte via een solo van Mario Kempes.

Dat de middenvelder Osvaldo Ardiles opvallend goed speelde.

Dat na diens wissel in de tweede helft Nederland nog sterker werd.

Dat de gelijkmaker van Dick Nanninga verdiend was.

Dat de televisieregie deze gelijkmaker toewees aan Jan Poortvliet. Hij kreeg een juich-close-up na de rake kopstoot en zijn naam werd getoond ter afsluiting van de herhalingen.

Dat men in de BBC-studio zelfs in de aanloop naar de verlengingen nog steeds dacht dat Poortvliet had gescoord.

Dat de daar als deskundige aanwezige Johan Cruijff het Nederlandse spel in de tweede helft als 'logisch' duidde. 'Nanninga erin en Brandts naar voren. In de lucht zijn de Argentijnen kwetsbaar.'

Dat er na de gelijkmaker nog acht minuten waren gespeeld waarin Nederland in de toegevoegde tijd de wedstrijd bijna won door een schot van Rensenbrink op de paal.

Dat Wim Suurbier toen inmiddels al was ingevallen. Terwijl hij op de ochtend van de finale als ontbijt enkele blikken bier dronk omdat hij dacht op de tribune te moeten zitten in plaats van op de reservebank.

Dat de Argentijnse spelers gedurende het gehele toernooi al stijf stonden van de doping.

Dat onder de 77 260 toeschouwers in het stadion zich een winnaar van de Nobelprijs voor de Vrede bevond.

Dat op gehoorafstand van het Estadio Monumental in Buenos Aires in het gebouw Escuela Mecánica de la Armada (ESMA) jarenlang gevangenen werden gemarteld door officieren van het Videla-regime, ook gedurende het WK.

En dat er bij een gelijke stand in de finale, ook nadat de verlenging was gespeeld, er een replay stond gepland voor dinsdag, de 27ste juni.

Het is een niet geheel willekeurige opsomming van feiten. Feiten die mijn vader destijds, met de nodige moeite, dat wel, kon weten. Tenminste, als het inderdaad feiten zijn. Als alles wat hier is geschreven, ook inderdaad heeft plaatsgevonden.

De vraag of het met de werkelijkheid overeenkomt, wordt dan een soortgelijke vraag of hij al deze feiten kon weten. En zo wordt de blik van mijn vader op die voetbalavond ineens ook een klein onderdeel van de geschiedenis van het voetbal. Dat is een troostrijke gedachte, al wordt alles daarmee niet veel duidelijker.

Eigenlijk zijn ook na deze opsomming nog steeds de enige zekerheden: de televisiekamer in het huis van vrienden van mijn ouders, een bank met kussens waarop wij zaten en de winst van Argentinië met 3-1 na verlenging. En verder dat ik een jongen van acht jaar was, die droomde van later. Een jongen die dacht dat alles mogelijk was.

I

Het was geen kans. Ook al kijk je er nog honderdduizend keer naar, analyseer je elke seconde van de aanval, elke meter dat de bal dichter bij de paal komt, ook dan wordt het nog steeds geen kans. Niet dat je voor een doelpunt een kans nodig hebt: doelpunten zijn er soms zomaar ineens, vrijwel vanuit het niets. Maar het was gewoon geen kans. Natuurlijk begrijpt hij dat het moment, de timing van de laatste minuut van een WK-finale, van iedere halve een opgelegde kans maakt. Maar dat is voetbalfantasie. Verzonnen. Fictie.

Een kans in de werkelijke wereld ziet er anders uit. Neem bijvoorbeeld die bal die hij in de laatste minuut van de eerste helft kreeg van Johan Neeskens. Willy van de Kerkhof zette voor vanaf de linkerkant: een goede strakke bal, met gevoel gegeven richting de verste paal. Tussen twee Argentijnen won Neeskens het kopduel en legde de bal met het hoofd klaar voor Rensenbrink bij de eerste paal. Op twee meter afstand, vrij voor keeper Ubaldo Fillol, raakte hij de bal precies goed met zijn linkerbeen. Maar ook de Argentijnse doelman deed alles goed. Met zijn rechterbeen tikte Fillol het schot uit de benedenhoek.

Weg kans, of nee, beter is: weg opgelegde kans. Want dat was er echt één. Gezien het betere veldspel van Nederland was het misschien zelfs wel de kans waar iedereen op wachtte. Maar met de timing, zo vlak voor het einde van de eerste helft, had deze benoemde kans niks te maken. Een kans is een kans, en een opgelegde een opgelegde. Dat weet elke voetballer.

Dat kon dus niet worden gezegd van zijn schot in de laatste minuut van de tweede helft. Dat was namelijk geen kans. Je zou het met de beste wil ter wereld een mogelijkheid op een kans kunnen noemen. Maar zelfs dat is te veel voor wat zich in de toegevoegde tijd van de tweede helft van de WK-finale van 1978 afspeelde.

De digitale cijferklok, rechtsboven op het televisiescherm, wijst 45.08 aan als Willy van de Kerkhof de bal net buiten de witte lijn van de middencirkel legt, op de Nederlandse helft, zo'n vier meter verwijderd van de middenlijn.

Scheidsrechter Sergio Gonella kijkt op zijn horloge. Aanvoerder Ruud Krol neemt een aanloop en schiet een lange bal richting het Argentijnse strafschopgebied. De bal is hoog en hard geschoten en lijkt de vier Argentijnse verdedigers op de rand van het zestienmetergebied te verrassen. Rensenbrink kijkt naar de bal en loopt richting het doel. Misschien als-ie straks goed stuitert?

Precies acht minuten geleden was de stuit ook goed.

De Argentijnen stonden sinds de wissel van Omar Larrosa voor middenvelder Osvaldo Ardiles in de 66ste minuut flink onder druk. Na een uitgooi wilde de Argentijnse linkerverdediger Alberto Tarantini vanaf eigen helft de bal hard naar voren schieten, maar raakte deze geheel verkeerd op de voet. Met een gekke curve en goede stuit belandde de bal in de voeten van Rensenbrink. Centraal staand, zo'n 35 meter van het Argentijnse doel, opende hij naar de linkerkant, naar Jan Poortvliet. De opkomende linksback speelde naar de zich in het midden aanbiedende Arie Haan.

De buitenspelval van Argentinië opende te laat. Rechtsbuiten René van de Kerkhof, die de bal van Haan aan de rechterkant ontving, liep in het geheel niet buitenspel en had zo rustig de tijd de bal te laten rollen en een afgemeten voorzet bij de tweede paal te geven.

De Argentijnse verdediger Luis Galvan, staand op de strafschopstip, probeerde de voorzet nog met de hand weg te slaan, maar reikte niet hoog genoeg, waarna de bal op het hoofd van de hoog boven iedereen uitspringende Dick Nanninga belandde: 1-1.

Ja, dat was een kans: die kopbal van Nanninga. De spits van Roda JC sprong hoog. Maar de voorzet van Van de Kerkhof was ook precies op maat. Zo'n kans zal deze lange bal van Krol niet worden. Maar als-ie nou net goed stuitert...

Inmiddels lopend in het strafschopgebied, aan de linkerkant, zo'n tien meter van het doel, ziet Rensenbrink de bal stuiteren, precies goed stuiteren. Hij rent door, is al voorbij de Argentijnse verdedigers, en springt iets omhoog om de bal te kunnen raken. Op de rand van het doelgebied, zo'n tweeënhalve meter van de achterlijn, raakt Rensenbrink de bal met zijn linkerbeen. Zijn schot passeert de inmiddels uitgekomen Argentijnse doelman Fillol aan diens rechterkant, de korte hoek.

Er volgt één stuit. Was dat ook een goede? Daarna raakt de bal de rechterpaal van het Argentijnse doel, stuitert terug in het strafschopgebied, precies voor de voeten van een Argentijnse verdediger.

'Rensenbrink tegen de paal in de slotfase van deze wedstrijd,' zegt televisieverslaggever Theo Reitsma. 'Bijna de wereldbeker voor Nederland.'

II

Het was 1967. De Argentijnse schrijver Jorge Luis Borges zat in een kamer en dicteerde een kort verhaal aan zijn goede vriend Adolfo Bioy Casares. Het licht in de ogen van de achtenzestigjarige was inmiddels geheel verdwenen. In het jaar dat zijn vader stierf, 1938, had hij op kerstavond zijn hoofd zo hard gestoten dat hij als gevolg daarvan blind werd. Dit laatste was meer een verhaal dan de werkelijkheid, want ook voor 1938 was het zicht in zijn ogen langzaam maar zeker al minder aan het worden. Maar in het eerste genoemde jaar, het jaar 1967, was Borges geheel blind. En zo gewoon als hij dat inmiddels vond, dicteerde Borges zinnen aan Bioy Casares om deze later uit te werken tot een verhaal, waarna vaak ook een bundeling van het een of ander volgde.

De zinnen die de vriend en schrijf-adjudant noteerde waren: 'De volgende keer verliest de markt, met twee tegen één. Er moet straf gespeeld worden, maar niet zoals de vorige keer, hè, geen pass van Musante naar Renovales, die kennen de kijkers al uit hun hoofd. Ik wil fantasie, meer fantasie. Begrepen? Goed, je kunt gaan.'

Ik bracht al mijn kracht op om te vragen: 'Moet ik hieruit afleiden dat de score van te voren wordt vastgesteld?'

Savastano rolde me letterlijk door het stof.

'Er is helemaal geen score en er zijn helemaal geen elftallen of partijen. De stadions zijn ondergraven gebouwen die in elkaar zakken. Vandaag de dag gebeurt alles op de televisie of voor de radio. Die zogenaamde opwinding van de omroepers, heeft u die nog nooit op het idee gebracht dat het allemaal oplichterij is? De laatste partij voetbal die in onze hoofdstad werd gespeeld was die van 24 juni 1937. Vanaf die precieze datum is voetbal, net zoals het gehele uitgebreide gamma van andere takken van sport, een dramatisch genre dat opgevoerd wordt door één enkele man in een cabine of door acteurs met gekleurde shirts aan voor de cameraman.'

Uiteindelijk werd het verhaal waarvan deze zinnen een wezenlijk onderdeel uitmaakten niet veel langer; in totaal zo'n vijf bladzijden. Het kreeg de titel *Esse est percipi*: Zijn is waargenomen worden.

En iedereen die toen dacht dat de genoemde hoofdstad Buenos Aires betrof, zou er vele jaren later achter komen dat op de avond van 21 juni 1978 Rosario voor even de hoofdstad van Argentinië was.

III

'*And that one was hitting the post. From Rensenbrink. Good gracious me. Argentina very nearly paid the penalty for a sloppy play on the far post in injury time here. There he is, number twelve, Robbie Rensenbrink.*' (BBC-commentaar op 25 juni 1978)

IV

Hij lachte. De Amerikaanse Nobelprijswinnaar van de Vrede, bij meerdere wedstrijden van het WK van 1978 aanwezig, lachte bij het geven van zijn antwoord op de vraag welke van de deelnemende landen op zijn support mochten rekenen.

'Ik wens u allemaal geluk bij het voetballen, bij het voetbalspel,' zei topdiplomaat en voormalig minister van Buitenlandse Zaken van de Verenigde Staten Henry Kissinger. Waarna hij zich met in zijn hand een zwarte aktetas richting de tribunes van het Estadio Gigante de Arroyito in Rosario begaf.

De aanwezigheid van Kissinger bij het WK 1978 was verrassend noch goed te duiden. Sinds een jaar was hij als hoogleraar Internationale Betrekkingen verbonden aan de Georgetown Universiteit. Met de Democraten aan de macht in Amerika was zijn rol voor even uitgespeeld. Er was een mogelijke link met het Amerikaanse reclamebureau Burson & Marsteller. Ingehuurd door Videla voor imagoverbetering had dit het toegewezen WK voetbal zeer geschikt geacht om 'de manier van denken over Argentinië te wijzigen'. 'Het toernooi staat de Argentijnse regering toe zich op uiterst gunstige en positieve wijze aan de wereldopinie te tonen.'

Maar de enige verbondenheid van Kissinger met deze reclamejongens waren hun Amerikaanse paspoorten. Een logischer verklaring was daarom zijn liefde voor het voetbalspel. Een liefde die begon in zijn Duitse geboortestad Fürth waar hij tezamen met zijn vader vele wedstrijden bezocht van de plaatselijke voetbalclub en waar Kissinger, zoals hij later beschreef in een essay getiteld 'World Cup According to Character', leerde over hoe 'de tactische complexiteit van het spel het karakter van naties weerspiegelt'.

Dat hij op 21 juni 1978 tezamen met generaal Jorge Videla voorafgaand aan het cruciale duel tegen Argentinië de kleedkamer van het Peruaanse team bezocht was niet veel meer dan het in vervulling gaan van een kinderwens.

Was Kissinger voor de wedstrijd in de Peruaanse kleedkamer in dat stadion in Rosario?

Ja, tezamen brachten ze een kort bezoek aan de tegenstander van Argentinië. Videla sprak de spelers zelfs nog even kort toe: iets over Latijns-Amerikaanse broederschap. Dat daarbij een bataljon aan lijfwachten aanwezig was kon je als intimidatie opvatten, maar tegelijkertijd moest de dictator wel beschermd worden. Ook Kissinger wenste de Peruanen vervolgens veel succes en sprak de wens uit dat het een mooie wedstrijd zou worden. En dat hij hoopte dat extreem nationalistische uitingen van het Argentijnse publiek achterwege bleven.

Jaren later zou Kissinger, inmiddels oud-voorzitter van de Amerikaanse voetbalbond en op verzoek van de FIFA actief als onderzoeker naar corruptie bij de wereldvoetbalbond, zich van zijn aanwezigheid in deze kleedkamer niets meer herinneren. Zijn kritische opmerkingen tijdens een lezing gedurende het WK in de richting van de Amerikaanse president Jimmy Carter en diens Democratische partij over hun nadruk op 'mensenrechten' was inmiddels allang vergeten.

V

Het was oktober 1976 toen admiraal Cezar Augusto Guzetti als de Argentijnse minister van Buitenlandse Zaken zijn Amerikaanse collega Henry Kissinger ontmoette in het Waldorf-Astoria Hotel in New York. Eerder dat jaar, kort nadat de militaire junta onder leiding van Jorge Videla aan de macht kwam, had de Amerikaanse minister in een memo al aan Videla laten weten dat 'serieuze problemen met de Verenigde Staten' voorkomen konden worden als 'het terroristenprobleem zo rond december of januari was verdwenen'.

In het hotel in New York zei Kissinger betreffende het op te lossen terroristenprobleem tegen zijn Argentijnse collega: 'Hoe sneller je slaagt, des te beter.'

Internationale organisaties schatten op dat moment het aantal ontvoeringen, verdwijningen en moorden als gevolg van het Videla-regime op ruim duizend Argentijnen. Uiteindelijk zouden ruim 30 000 het slachtoffer worden van datgene wat Videla en consorten beschouwden als 'het terroristenprobleem'.

VI

'De officiële speeltijd zit er op. Maar er is voldoende gelegenheid geweest om nu aan extra tijd toe te komen. Gonella heeft alle tijd, heeft alle reden om dat te doen op dit moment. Rensenbrink! Tegen de paal! Rensenbrink tegen de paal in de slotfase van deze wedstrijd. Bijna de wereldbeker voor Nederland.' (NOS-commentator Theo Reitsma op 25 juni 1978)

VII

Ze zeiden dat kort na de wedstrijd een schip vol graan naar Peru was gevaren. 40 000 ton was er verscheept, plus nog aanzienlijke hoeveelheden dollars en het nodige bruikbare schiettuig. De wederdienst had toen immers al plaatsgevonden; op die 21ste juni 1978 te Rosario. Met vier doelpunten verschil winnen van de Peruanen: dat was de opdracht van Argentinië. Dan werden de Brazilianen uit de finale gehouden en speelde het zelf tegen Nederland. De uiteindelijke 6-0 overwinning van de Argentijnen was dus meer dan verwacht. Tegen eventuele twijfelaars vertelden ze dat de FIFA er ook 'heel toevallig' mee had ingestemd dat de Brazilianen hun beslissende laatste wedstrijd in de poulefase tegen Polen eerder speelden. Zodat Argentinië precies wist hoeveel doelpunten nodig waren.

En toen bleek dat zowel de levering van de lading graan als de verschillende aanvangstijden van de wedstrijden al voor het toernooi waren afgesproken?

Toen werd gewezen op Argentijnse voorouders van de Peruaanse keeper Ramon Quiroga en op de aankoop van de Peruaan Rodolfo Manzo door het Argentijnse Velez Sarsfield. Terwijl er nog nooit een Peruaanse speler in de Argentijnse competitie had gespeeld. En had Manzo ook niet zelf kort na de wedstrijd gezegd dat Argentinië – Peru verkocht was. Later trok hij die verklaring wel weer in, maar zijn bijnaam in zijn geboorteland luidde niet voor niks *El Vendido*, De Verkochte. En waarom werd bij een 2-0 voorsprong van Argentinië ineens de zeer belangrijke verdedigende middenvelder José Velázquez gewisseld?

En wat te denken van de rol van de organisator van het WK, vice-admiraal Carlos Lacoste? Zich bewust van de internationale uitstraling van het voetbaltoernooi lette hij niet zo nauw op de budgetten. Dat er van die bergen dollars – 700 miljoen werd gefluisterd – wel eens eentje in zijn eigen zakken verdween was onvermijdelijk. Toch plaatste de toenmalige Argentijnse minister van Financiën Juan Alemann enkele kanttekeningen. Hoe en wat, met welk geld, wilde hij eigenlijk wel weten. En zie daar, wat geschiedde precies op het moment dat aanvaller Leopoldo Luque het bevrijdende vierde Argentijnse doelpunt tegen Peru scoorde?

Boem! Er ontplofte een bom bij Alemann thuis, een aanslag die hij maar net overleefde. En dat kon nog toeval zijn, maar toch niet als je wist van de terloopse opmerking van Lacoste tegen de minister: 'Als je zo begint, moet je uiteindelijk ook niet zeuren als iemand een bom bij jou thuis bezorgt.'

Maar die bom ontplofte toch pas in 1979? Waarna deze aanslag werd toegewezen aan de paar mensen die nog over waren van de linkse guerrillabeweging Montoneros. Wat een logische toewijzing was, omdat die Alemann, net zoals Lacoste, direct betrokken was bij het schrikbewind van Videla.

Dat was dan misschien allemaal wel zo, maar de aanwezigheid van Kissinger in de Peruaanse kleedkamer kon niet alleen maar toeval zijn.

Zo'n belangrijke Amerikaanse diplomaat op dat moment in die kleedkamer paste immers precies bij de bekentenissen van de Peruaanse oud-gouverneur Genaro Ledesma. Hij was ten tijde van het Videla-regime als vakbondsman actief in Peru en werd als linkse activist door de Peruaanse machthebbers aan Argentinië uitgeleverd. En Ledesma was niet de enige Peruaan wie dit overkwam. Het regime van Videla nam het martelen van vele Peruaanse politieke gevangenen op zich. Dit gebeurde als wederdienst voor de 6-0 nederlaag.

Zeiden ze.

VIII

11 november 1981, het Parc des Princes in Parijs. Frankrijk en Nederland spelen een allesbeslissend WK-kwalificatieduel. Wie verliest gaat niet naar het eindtoernooi in Spanje in 1982. Nederland heeft via Simon Tahamata al één grote kans gekregen als in de

51ste minuut de Fransen een vrije trap krijgen op zo'n zeventien meter afstand van het doel. De stand is 0-0, nog niks aan de hand.

Michel Platini, rugnummer 10, staat achter de bal. Hij kijkt naar de Nederlandse muur bestaande uit zes spelers. Met zijn rechterbeen kan de bal er met een gedraaid schot langs. Maar in die hoek, voor de Franse aanvoerder de rechter, staat keeper Hans van Breukelen.

Platini kijkt opnieuw.

Aanvoerder Ruud Krol, staand achter de zesmansmuur, gebaart dat iemand iemand moet dekken, maar wat hij precies bedoelt is niet duidelijk. Zelf hupt hij met enkele sprongen in de richting van de hoek waar Van Breukelen niet staat. Wantrouwen? Of gewoon voor de zekerheid?

Platini kijkt nog een keer richting de muur en het doel en neemt dan zijn aanloop. Krol tikt met zijn rechterhand bijna de voor hem rechterpaal aan en kijkt naar de achterkant van de muur, richting de Franse aanvoerder. Die raakt de bal goed. Van Breukelen is verrast, net als Krol. De bal vliegt hoog en hard in de voor hen linkerhoek. Platini heeft gescoord: 1-0 voor Frankrijk.

Diezelfde wedstrijd zou ook Didier Six nog een doelpunt scoren. Nederland verloor met 2-0 en was uitgeschakeld voor het WK van 1982 in Spanje. Ik weet dat, ook omdat ik het die avond zelf op de televisie zag.

Toch kwam de impact van het verlies pas later. Het besef van de afwezigheid in 1982 kwam door een foto-onderschrift in *Het Groot Voetbalboek* van dat jaar, een uitgave van weekblad *Voetbal International*. 'Vicewereldkampioen exit,' las ik. En de combinatie van deze woorden maakte een verpletterende indruk op me.

Later dat jaar, op eerste kerstdag 1982, stierf mijn vader, vierenveertig jaar oud. Ik was dertien en sindsdien is voetbal voor mij Esse *et* percipi: Zijn én waarnemen.

10

Speelbal van de wind

12 oktober 1983
Dublin, aanvang 19.32 uur
Kwalificatiewedstrijd voor EK 1984 in het Dalymount Park
Ierland – Nederland 2-3

Ze kijken hun tegenstanders recht in de ogen. Alsof het een rugbywedstrijd betreft staan de spelers van het Nederlands elftal en de spelers van Ierland tegenover elkaar opgesteld: beide landen in één rij aan weerszijden van de middenlijn, op zo'n vijftien meter afstand van elkaar. Ze vormen een nogal brede erehaag voor de Braziliaanse FIFA-voorzitter João Havelange. Als speciale gast vanwege de nieuwe lichtinstallatie in het stadion heeft hij de Nederlandse spelers inclusief bondscoach Kees Rijvers al de hand geschud en begroet hij de Ieren.

De Nederlandse coach, gekleed in een crèmekleurige regenjas, zijn pet uit beleefdheid voor even opgeborgen, heeft gekozen voor een 4-4-2 opstelling met Gerald Vanenburg en Marco van Basten als spitsenduo. Sind het WK voor junioren afgelopen zomer in Mexico waar hij supervisor was, kent hij het tweetal goed. Vooral de laatste was een type spits waar hij vroeger als speler graag samen mee voetbalde: overtuigd van zichzelf en technisch sterk. Vorig jaar zei hij al dat Van Basten de toekomstige spits van het Nederlands elftal was. De achttienjarige voldoet met zijn derde interland aan deze voorspelling.

Vooruitlopend op het Nederlandse volkslied vouwt Rijvers beide handen op zijn rug. Hij kent het belang van deze wedstrijd. Al-

leen winst telt. Zonder twee punten mist Nederland opnieuw een eindtoernooi. Verder is zijn werkgever, de KNVB, inmiddels druk bezig met het aanstellen van een technisch directeur voor het gehele beleid. In de media worden Rinus Michels en George Kessler als belangrijke kandidaten genoemd. Ook daarom is een overwinning vandaag welkom.

Havelange heeft voldoende handen geschud en de Ierse spelers draaien zich om in de richting van de op een tribunedak geplaatste nationale vlaggen. Starend naar Ierse ruggen horen de spelers van het Nederlands elftal hun volkslied. Gekleed in trainingspak staan naast elkaar keeper Piet Schrijvers van PEC Zwolle, Willy van de Kerkhof van PSV, Edo Ophof en Peter Boeve van Ajax, Adri van Tiggelen van FC Groningen, Ronald Koeman, Gerald Vanenburg en debutant Sonny Silooy van Ajax, Ruud Gullit van Feyenoord, Marco van Basten van Ajax en aanvoerder Ben Wijnstekers van Feyenoord.

Het is een jeugdige ploeg, precies zoals Rijvers wil. Hij gelooft in deze nieuwe generatie. Al kunnen ze het nog niet zonder de hulp van enkele routiniers. Net als hij hebben de spelers nu de handen op de rug. De meesten kauwen kauwgom. Alleen Peter Boeve zingt mee. De wapperende jaspanden van Rijvers wijzen op een stevige wind. De Nederlanders voelen deze waaien in hun rug als het publiek na de laatste tonen van het *Wilhelmus* begint te applaudisseren. Het stadion is met 35 000 mensen uitverkocht – er zitten zelfs mensen op het dak – en massaal zingen ze het Ierse volkslied.

'Dat bedoel ik nou met de Dailymount Roar,' zegt de Nederlandse televisiecommentator Evert ten Napel als het Ierse publiek is uitgezongen. Ondanks dat hun land al is uitgeschakeld voor het eindtoernooi in Frankrijk kan dat indrukwekkende zingen van de Ierse supporters volgens de verslaggever een beslissende factor spelen in de wedstrijd.

Als beide aanvoerders zich melden bij de Zwitserse scheidsrechter Andre Daina blijkt hoeveel wind er staat. De vlag van een van de grensrechters gaat woest heen en weer. En ook de vaantjes in de handen van aanvoerder Wijnstekers en de Ier Tony Grealish wapperen flink.

De scheidsrechter toont aan beide spelers een tossmunt. Wijnstekers mag kiezen welke kant van de munt. De Ier wint. Met een handgebaar maakt Grealish duidelijk van speelhelft te willen wisselen. Nederland speelt de eerste vijfenveertig minuten met straffe wind tegen.

I

Bondsarts Frits Kessel dacht niet direct aan reguliere doping. Daags voor de beslissende EK-kwalificatiewedstrijd tussen Nederland en Oost-Duitsland op 21 november 1979 vertelde de dokter in een uitgebreid interview in *De Telegraaf* dat hij gebruik van anabolen of hormoonpreparaten door de Oost-Duitse spelers niet waarschijnlijk achtte. Hij vermoedde wel 'autogene trainingen'. 'Dat wil zeggen dat je jezelf psychisch in bedwang wilt houden. Je probeert een stuk zelfvertrouwen te creëren dat de tegenstander kan afbluffen. Russen oefenen er erg sterk op. Amerikanen zijn er in internationale wedstrijden meesters in.'

Kessel voorzag voor de wedstrijd in Leipzig op dat vlak ook zeker problemen. De Nederlander was volgens hem meer 'een type dat met een wit bekkie naar een groot moment toeleeft'. Toch geloofde hij dat 'de pure klasse' van het Nederlands elftal met spelers als Simon Tahamata en Tscheu La Ling de doorslag zou geven.

Een dag later bleek tijdens de wedstrijd in het met 90 000 supporters uitverkochte Zentralstadion in Leipzig een flinke dosis werklust en af een toe een schop uitdelen ook goed te werken. Wie incasseerde kon ook maar beter uitdelen.

Nederland stond na een halfuur al met 2-0 achter. Een dubbele rode kaart voor Konrad Weise en Tscheu La Ling, vijf minuten voor rust, bracht de ommekeer. Frans Thijsen van Ipswich Town scoorde 2-1 en in de tweede helft zorgde Kees Kist van AZ'67 voor de bevrijdende gelijkmaker. Met deze stand was Nederland geplaatst.

In de 67ste minuut zag rechtshalf Dick Schoenaker van Ajax zijn tegenstander al van verre aankomen. Staand op de middenlijn, met zijn gezicht naar het vijandelijke doel, rolde de bal zijn kant op. Net voordat de Oost-Duitse tegenstander met een lange sliding de bal én zijn benen probeerde te raken, punterde Schoenaker de bal hard naar voren en sprong omhoog. Hij was nét op tijd.

De punter van Schoenaker belandde bij René van de Kerkhof, die de bal vervolgens langs verdediger Gerd Kische tikte, het Oost-Duitse strafschopgebied in. Sprintend was de aanvaller net eerder bij de bal dan de uitkomende keeper Hans-Ulrich Grapenthin. Hij omspeelde deze en schoot de bal in het lege doel: 3-2.

Daags na de wedstrijd schreven de Duitse kranten over een terechte Hollandse zege en betitelden de Nederlandse kranten de overwinning na een 2-0 achterstand als het Mirakel van Leipzig. Alleen Ben de Graaf, journalist van *de Volkskrant*, vermoedde dat er meer aan de hand was. Volgens hem waren de Oost-Duitse voetballers 'geprepareerd', maar hadden ze daarvan vooral last. Na de dubbele rode kaart blonken de DDR'ers uit 'in ongecoördineerde acties'.

II

'Wat ík weet, is dat we de eerste helft helemaal niet zo slecht speelden. Maar door de straffe tegenwind kwamen we niet aan voetballen toe. In de tweede helft met windje mee ging dat wel.' (Gerald Vanenburg, jaren later, over het Wonder van Dublin)

III

'*We love you Ireland, we do! We love you Ireland, we do! We love you Ireland, we do! Oooh Ireland we love you!*'

Ook aan het begin van de tweede helft zingt het Ierse publiek zijn elftal luid toe. Het leidt met 2-0 door doelpunten van Gary Waddock en Liam Brady. De laatste, de linksbenige spelverdeler van Sampdoria, is de beste man op het veld. De verdedigende middenvelders Van de Kerkhof en Van Tiggelen hebben geen grip op hem. Rijvers heeft besloten de laatste te vervangen door rechtsbuiten Bud Brocken. Nederland speelt weer eens 4-3-3.

Keeper Jim McDonagh heeft een voorzet van Ben Wijnstekers eenvoudig gevangen. Hij kijkt direct naar voren en trapt de bal ver uit in de richting van spits Michael Robinson van Liverpool. Debutant Silooy, zonder rugdekking van de doorgeschoven laatste man Gullit, ziet de hoge uittrap aankomen, maar timet verkeerd en mist de bal. Na de stuit draait hij zich wel snel om, maar de doorgelopen Ierse spits heeft een kleine voorsprong.

Silooy maakt een sliding. Robinson blokt deze met zijn voet en rent, met de bal, alleen op keeper Piet Schrijvers af.

Twee WK's, jarenlang keeper van Ajax en eerder, ook jarenlang, op doel bij FC Twente. Daar was Rijvers al zijn coach geweest. Misschien nam hij daarom, zojuist, in de rust in de kleedkamer het woord. Of nou ja, het woord nemen. Hij had geschreeuwd. Dacht aan een eerdere interland. Leipzig! Een paar jaar geleden! Stonden we ook achter met 2-0, moesten winnen en ja hoor in de tweede helft drie goals! Zoiets dergelijks had hij tegen de jongere spelers geroepen. Dat dit een goed moment was om zich te presenteren. Veel indruk maakte het niet. Gullit keek hem aan alsof hij gek was.

En nu staat hij een-tegen-een met Robinson. Uit zijn doel gestormd is Schrijvers net te laat bij de bal, maar hij dwingt de langs hem glijdende Ierse spits wel naar de rechterbuitenkant. Robinson rent achter zijn eigen bal aan. Het Nederlandse doel is helemaal leeg. Als hij schiet is het 3-0, maar de Ier kiest voor een kapbeweging, waardoor Schrijvers weer voor hem gaat liggen. De pass van Robinson op de vrijstaande Brady weet de terug gesprinte Ophof te onderscheppen. Kans verkeken, het blijft 2-0.

IV

'Volgens mij moest ik van Rijvers vlak voor de rust al warmlopen.' (Bud Brocken, jaren later, over zijn invalbeurt in de tweede helft als rechtsbuiten waardoor het Nederlands elftal overschakelde naar een 4-3-3 opstelling)

V

'De gevolgen van dat we wonnen, waren de volgende wedstrijden duidelijk merkbaar. Vanaf Ierland-uit was de hiërarchie binnen het Nederlands elftal definitief veranderd.' (Aanvoerder Ben Wijnstekers, jaren later, over hoe het Wonder van Dublin ervoor zorgde dat de jongere generatie spelers ineens serieus werd genomen)

VI

Liggend op zijn rug, spartelend met zijn benen en armen, kraait de 21-jarige Ruud Gullit het uit van plezier.

Zojuist, in de 73ste minuut, kreeg hij de bal in het Ierse strafschopgebied aangespeeld door de achttienjarige Van Basten. Iets rechts van het doel, op zo'n elf meter afstand, kon hij vrij schieten. Gullit koos de verre linkerhoek en de Ierse keeper McDonagh was kansloos. Weer kansloos.

In de rust had Rijvers al gezinspeeld op het consequente doorschuiven van Gullit. Maar dat mocht pas de laatste vijfentwintig minuten. Als het echt niet anders kon. Toen Gullit al vanaf de eerste minuut doorschoof en meer voor dan achter speelde, had Rijvers hem verschillende malen tot de orde geroepen. Tevergeefs. Gullit bemoeide zich nadrukkelijk met de opbouw en de aanval. Rijvers kon gebaren wat hij wilde. Hij móést naar voren. Het risico op meer tegendoelpunten was van ondergeschikt belang. Helemaal nadat Gullit in 51ste minuut scoorde.

Ronald Koeman, de twintigjarige middenvelder, gaf de bal vanaf rechts hoog voor. Van Basten verloor het kopduel van Chris Hughton van Tottenham. De bal belandde toch voor de voeten van Gullit. Zijn eerste schot met zijn rechtervoet pareerde McDonagh nog. Maar bij het tweede schot, strak met zijn linkerbeen, was de Ierse keeper kansloos. Ook kansloos.

Net zoals drie minuten geleden, toen de bij de eerste paal ingelopen Van Basten een strak genomen hoekschop van Wijnstekers hard in de verre bovenhoek kopte. Dat was 2-2. En zijn uithaal zojuist betekende 3-2.

'Jaaaaaaaa!' roept Gullit als de negentienjarige Vanenburg aan komt huppelen, zich met een sierlijk boogje naast hem vlijt en hem omhelst. De benen van Gullit houden maar niet op met spartelen.

Van Basten, ook al dansend van vreugde aan komen lopen, houdt een halve meter voor het tweetal opeens halt en gaat op olijke wijze op zijn handen staan. Boeve komt er ook bij en duwt de spits om, zodat hij boven op Gullit en Vanenburg op de achterlijn kan gaan liggen. Wijnstekers, Brocken, Ophof en Silooy verhogen één voor één het bergje feestvierende voetballers.

Nederland leidt met 3-2 en commentator Evert ten Napel, die zojuist alles 'schít-te-rend!' vond, vraagt de Nederlandse kijkers hem 'al die superlatieven niet kwalijk te nemen'. 'Maar dit doet denken aan die gedenkwaardige novemberavond in Leipzig.'

VII

'Als João Havelange niet in eigen persoon present was geweest, zou men zelfs geneigd zijn te denken aan omkoping, een verkochte wedstrijd of een farce, omdat de eerste actie van de tweede helft te denken geeft. Nadat Robinson Schrijvers al gepasseerd was, gaf hij er de voorkeur aan de bal terug te spelen in plaats van te scoren.'

Aldus schreef een journalist van de Spaanse krant *El País* daags na het Wonder van Dublin in een stuk met de kop 'Holland wint in Dublin op vreemde manier'. Ook de Spaanse bondscoach Miguel Muñoz uitte kritiek op de instelling van de Ieren in de tweede helft. Als koploper in groep 7 had Spanje zich met een Ierse overwinning of een gelijkspel al geplaatst. 'De inzinking valt niet te tolereren,' zei Muñoz over de 'Kater van Dublin'.

In de Nederlandse pers werd vooral het Wonder belicht. Naast de overeenkomsten met het Mirakel van Leipzig schreven ze uitgebreid over de tegengestelde spelopvattingen van de bondscoach en de spelersgroep. Rijvers ging niet in op suggesties dat de spelers in de tweede helft niet langer zijn aanwijzingen opvolgden. Wel zei hij na afloop dat 'dit eigenlijk zijn voetbal niet is, met zoveel risico'.

Het weekblad *Voetbal International* wijdde er een coververhaal aan met de kop 'Oranje nog in de race na muiterij van spelers'. Vooral de oudere spelers – Piet Schrijvers en Willy van de Kerkhof – hadden aangedrongen op een offensievere speelstijl. Maar uiteindelijk ging in de tweede helft het gehele elftal 'uit eigen initiatief conform hun karakter' spelen. 'Voetbal met drie spitsen, een jagend middenveld, een creatieve libero en ver van de goal verdedigen: we werden er ooit om gevreesd in het buitenland. Vijfenveertig opwindende minuten in Dublin hebben aangetoond dat de Nederlandse spelers het nog steeds aankunnen.'

In het weekblad beaamde de uitblinkende laatste man Ruud Gullit in een uitgebreid interview het spontane karakter van de gekozen speelstijl van tweede helft. Dat de Engelse media hem plotseling '*the best sweeper*' van Europa vonden was ook daarom belachelijk. Met nog een doelpunt van de Ieren was zijn offensieve speelstijl juist als destructief gezien. Daarbij had de ommekeer Gullit oprecht verbaasd. Zijn enige hoopvolle gedachte in de rust was geweest: als ik steeds last heb van de wind, dan straks die Ieren toch ook.

Door het Wonder behield Nederland kans op plaatsing voor het EK. Daarvoor was winst in de laatste twee thuiswedstrijden noodzakelijk. Het werd 2-1 tegen Spanje – Gullit maakte opnieuw het winnende doelpunt – en 5-0 tegen Malta. De laatste wedstrijd tussen Spanje en Malta in Sevilla moest de beslissing brengen, waarbij het doelsaldo bepalend was. Nederland had vooraf een marge van tien doelpunten.

Dat leek voldoende, hoewel er al enige scepsis was. Rijvers was voorafgaande aan de wedstrijd van Nederland tegen Malta benaderd door een Franse journalist die zeker wist dat Spanje zich zou gaan plaatsen. En in de catacomben na afloop zei ook de Maltezer doelman John Bonello dat Nederland kansloos was. '*Fuck the Dutch, Spain is going to France.*' Journalist Joop Niezen sprak voor het maandblad *Sport International* dezelfde doelman al twee dagen eerder.

'Ik verwacht dat Nederland opnieuw niet verder komt dan 6-0,' zei Bonello. 'En dat Spanje vier dagen later gebruik zal maken van de Maltezer vermoeidheid en wint met 13-0.'

Vier dagen later, op 21 december 1983, ging bondscoach Kees Rijvers op visite bij zijn buren in het Noord-Brabantse Knegsel. De Nederlandse televisie zond de wedstrijd Spanje – Malta live uit. Toch verkoos Rijvers een potje kaarten met zijn buren. Op de einduitslag van die wedstrijd in Sevilla kon hij toch geen invloed meer uitoefenen.

Dat van de buren klopte, maar dankzij speurwerk van *Volkskrant*-journalist Paul Onkenhout bleek jaren later dat de toenmalige perschef Wim Jesse dat verhaal over het kaarten had verzonnen. Jesse belde Rijvers die avond de ruststand (3-1) en de eindstand (12-1) door en behandelde na afloop de vragen van journalisten. Tegen de verslaggever van het ANP zei Jesse op de vraag wat Rijvers bij de buren deed dat 'hij misschien wel zat te kaarten'.

De persvoorlichter en de bondscoach hadden het vervolgens in stand gehouden.

'Dat hele kaartverhaal interesseert me niets,' zei Rijvers tegen Onkenhout. 'Van mij mag dat erin blijven. Ik heb er altijd om gelachen. Wat me pijn doet, is dat die omkoopaffaire nooit serieus is onderzocht. Dáár kan ik nog steeds kwaad over worden.'

VIII

'Jullie journalisten hebben de neiging overal mooie verhalen van te maken. De tweede helft liep het gewoon lekker, klaar. Verder was die wedstrijd niet specialer dan andere. Elke wedstrijd is even belangrijk.' (Marco van Basten, jaren later, over de suggestie dat het Wonder van Dublin de basis legde voor het team dat in 1988 Europees kampioen werd)

11

Vliegen zonder vleugels

12 juni 1988
Keulen, aanvang 20.15 uur
Groepsfase EK in West-Duitsland in het Müngersdorfer Stadion
Nederland – Sovjet-Unie 0-1

De dienstbare centrumspits kiest positie. Net als de andere spelers van het Nederlands elftal weet John Bosman precies wat hij moet doen. Tijdens de voorbereidingen voor het EK is er veel getraind op hoekschoppen. Terwijl de rechtsbenige Gerald Vanenburg richting de linkerhoekvlag loopt, is Frank Rijkaard al mee naar voren gekomen. De voorstopper gaat iets voor de eerste paal staan met in zijn rug een verdediger van de Sovjet-Unie.

Achter Rijkaard, ook bij de eerste paal, staat zoals afgesproken aanvoerder Ruud Gullit. De Sovjets dekken hem met twee spelers. John van 't Schip, vandaag linksbuiten spelend, kiest ook zijn vaste positie: hinderlijk staand vlak voor de keeper, de Rus Rinat Dasajev.

Bosman, alweer zoals afgesproken, drentelt rond bij de tweede paal. Hij staat zo'n veertien meter van het doel af. Voldoende ruimte om in te komen lopen en zijn specialiteit uit te voeren: de kopbal. Zoals het een echt talent betaamt, kan hij niet goed verklaren waarom hij zo goed kan koppen. Het is de combinatie van zijn lengte, 1,87 meter, gevoel voor timing en koptechniek. Het eerste is de natuur en het laatste leerde hij zichzelf. Bij zijn vroegere amateurclubs Roda'23 en RKAVIC, uit respectievelijk Bovenkerk en Amstelveen, hadden ze nog zo'n ouderwetse kopgalg. En verder waren er altijd wel vriendjes

Nederland-Sovjet-Unie

te vinden met een goede voorzet. Zeker tienduizend uren had hij besteed aan het koppen. Toch maakte de timing het verschil.

Net op het juiste moment afzetten. Net nog even wachten met je hoofd tegen de bal drukken. Net even langer in de lucht blijven hangen dan je tegenstander. Dergelijke details zorgen niet alleen voor het winnen van kopduels, maar ook voor doelpunten. En, heel belangrijk, ze schenken hem plezier.

Al zijn leven lang vindt Bosman koppen gewoon ontzettend leuk. Dat hij daarnaast ook verdraaid goed kan voetballen is de laatste jaren duidelijk geworden. Vijf jaar geleden speelde hij nog bij de zondagamateurs van RKAVIC. Ajax zag 'm graag al eerder komen, maar hij zag dat eigenlijk niet zo zitten. Na de overstap had hij zich snel aangepast aan het hogere niveau. Al na één jaar debuteerde hij in het eerste elftal, waarna hij tezamen met Marco van Basten een veelscorend spitsenkoppel vormde: Bassie & Bossie, de egoïstische centrumspits & de dienstbare schaduwspits.

Dat Van Basten de betere voetballer van de twee is, hoef je aan Bosman niet uit te leggen. Hij zei het onlangs zelf nog weer tegen een verslaggever van *Voetbal International*. Van de drie gegadigden – ook Wim Kieft is een concurrent voor de spitspositie tijdens dit EK – was Marco natuurlijk de beste. Maar juist dat bewijst hoe goed hijzelf kan voetballen. Dat Michels in deze openingswedstrijd van het EK tegen Rusland voor hem heeft gekozen.

Met de verhalen dat Bosman wel wat weg heeft van de voetballer Michels – in zijn debuut bij Ajax als spits in 1946 scoorde Michels direct vijf doelpunten en hij was ook een echte kopspecialist – heeft dat niets te maken. Alsof een coach het liefst zichzelf opstelde. De beteren doen dat juist niet.

Wat wel van belang was, is dat Bassie een lastig eerste seizoen bij AC Milan had. Door zijn enkelblessure had hij nauwelijks gespeeld. En die botsing met Real Madridspeler Rafael Gordillo, enkele weken geleden in een oefenwedstrijd met Milan, waardoor hij zijn linker jukbeen brak, hielp hem ook niet. Maar verder is de basisplaats van Bosman toch vooral zijn eigen verdienste. Als spits in het Nederlands elftal scoort hij. En als spits in het Nederlands elftal is hij dienstbaar aan Ruud Gullit.

De ster van AC Milan en de Europees en wereldvoetballer van het jaar moet dit toernooi gaan schitteren. Dat heeft Michels tijdens alle besprekingen duidelijk gemaakt. En Bosman kan daarvoor zorgen: door zijn karakter, maar ook door zijn koptechniek.

Het is de 37ste minuut van het EK-duel tussen Nederland en de Sovjet-Unie als Vanenburg de hoekschop precies zo trapt zoals hij dat de afgelopen weken deed: met gevoel, draaiend richting de eerste paal. De voorzet is iets te hoog voor Rijkaard, maar precies goed voor Gullit. Tussen twee Russen in kopt hij de bal door, richting de wachtende Bosman: alweer precies zoals op de trainingen.

Het hinderlijke staan van Van 't Schip heeft inmiddels ook het voorziene effect: de uitkomende Dasajev is te laat en de bal vliegt met een boogje voor het doel langs. Nu inlopen, flitst het door zijn hoofd.

Bosman beweegt naar voren, de Russische verdediger Oleg Koeznetsov volgt hem, maar Bosman weet al dat hij eerder bij de bal zal zijn. Oei, iets te ver doorgelopen. Doordat zijn aandacht even gericht was op de tegenstander moet hij iets achterover leunen om de bal goed te raken. Erg is dat niet. Ook die techniek beheerst hij feilloos. Nog een halve meter en dan valt de bal op zijn hoofd. Het Russische doel is op één verdediger na helemaal verlaten. De rechtsback dekt nog steeds de eerste paal af. De rechterkant is leeg, daar moet de bal naartoe. Net iets langer wachten dus. Of nee, daar komt Koeznetsov, nu koppen dus.

Bosman toucheert de bal.

Direct na het contact, maar eigenlijk daarvoor dus al, weet hij dat het nét te vroeg was. Iets later gekopt en de bal was naar de rechterhoek gegaan, en vooral ook laag. Maar ja, dan had Koeznetsov er mogelijk weer tussen gezeten. En deze kopbal kan ook nog goed zijn.

Met een boog vliegt de bal langzaam in de richting van de eerste paal. De Russische rechtsback Volodymyr Bessonov, inmiddels richting het midden van het doel gelopen, kan er niet bij. Wel is Dasajev omgedraaid en snelt hij – tezamen met Ruud – terug richting het doel. De bal gaat, de bal gaat, de bal gaat... voorlangs, naast het doel. Gullit is net te laat bij de paal en schopt de bal nog weer extra achter. Doelschop Rusland.

Hoewel geheel verdwenen kijkt Bosman de kans – zíjn kopkans – nog even na en heft dan het hoofd ten hemel. Dasajev helpt Gullit met opstaan. Bosman kijkt nog eens goed naar het doel.

Ja, dat was vrijwel leeg.

Ja, zo'n bal scoort hij vaker wel dan niet.

En nee, hij had Nederland niet op die zo verdiende 1-0 voorsprong gezet.

Als Dasajev de doeltrap neemt, veegt Bosman een zweetdruppel van zijn voorhoofd.

I

Het was de avond van de 28ste oktober 1987. Op het veld van de Rotterdamse Kuip liepen de spelers van het Nederlands elftal. Ze droegen allemaal een trainingsjack, ondanks dat de Luxemburgse scheidsrechter Roger Philippi al zo'n halfuur eerder had gefloten voor het begin van de EK-kwalificatiewedstrijd tussen Nederland en Cyprus.

De reden was een met het kruit van honderd strijkers gevulde tennisbal die kort na aanvang in de Cypriotische doelmond ontplofte. Centrumspits Bosman had al in de eerste minuut gescoord. De 55 000 toeschouwers in het uitverkochte stadion zaten klaar voor een fijne wedstrijd. De winst, en daarmee de definitieve plaatsing voor het EK in West-Duitsland, leek na die eerste minuut al een voldongen feit.

Maar de opeenvolgende gebeurtenissen van een opgejutte supporter uit Oss met een strijkersbom, een harde knal, rookontwikkeling, een aangeslagen Cypriotische doelman Andros Charitou en het terugkeren van het gehele team van Cyprus naar de kleedkamer, zetten dat feestelijke scenario op losse schroeven.

Temidden van zijn medespelers die af en toe huppelden om zichzelf warm te houden werd aanvoerder Ruud Gullit op het veld door NOS-verslaggever Evert ten Napel gevraagd wat hij zou doen als hij Cyprioot was.

'Ik zou niet willen doorgaan nee,' zei Gullit. 'Ik denk dat je kans hebt dat je gediskwalificeerd wordt, ook nog. Dit is om te janken dit.'

Na een langdurig oponthoud waarin ook Nederland voor enige tijd naar de kleedkamer terugkeerde werd de wedstrijd alsnog hervat met tweede keeper Costas Miamiliotis als de vervanger van Charitou. Nederland won met 8-0, vijf doelpunten van John Bosman, maar enkele dagen later besloot de UEFA de wedstrijd ongeldig te verklaren en deze om te zetten in een 3-0 overwinning voor Cyprus. De KNVB ging daartegen in beroep en met succes. De wedstrijd moest, zonder publiek, worden overgespeeld.

En zo plaatste Nederland zich op 9 december 1987 na een 4-0 overwinning op Cyprus in de, op driehonderd toeschouwers na, volledig lege Amsterdamse De Meer definitief voor het EK van 1988 in West-Duitsland. Bosman scoorde in deze wedstrijd opnieuw drie doelpunten.

II

Het was èen duidelijk signaal geweest. Voor het eerst in de voorbereiding was de selectie compleet. Na het winnen van de Europa Cup 1 waren ook de spelers van PSV beschikbaar voor het oefenduel in het Amsterdamse Olympisch Stadion tegen Roemenië.

Gullit speelde niet, vanwege een lichte blessure. En elf dagen voor het openingsduel tegen Rusland had Michels voor Wim Kieft gekozen om de vrijgekomen positie van Gullit in te vullen. Als centrumspits was Bosman kennelijk onomstreden. En voor Van Basten – hij had de tweede helft als linksbuiten mogen invallen – was niet veel meer weggelegd dan te proberen zich op die eigenaardige positie in de basis van het Nederlands elftal te spelen.

En dat signaal zinde Van Basten niet.

Eerder had hij voor de ingang van het Olympisch Stadion met de daar als toeschouwer aanwezige Johan Cruijff gesproken. 'Jij bent de eerste spits van Nederland,' had de coach van Barcelona tegen hem gezegd. 'Jij bent veel te goed om linksbuiten te spelen. Het is niet goed voor je, die plek hoort niet bij je. Denk er nog maar eens goed over of je wel meegaat naar het EK.'

Eenmaal terug bij het sportcentrum in Zeist had Van Basten vervolgens aan Michels zijn onvrede geuit. In het gezelschap van assistent-trainer Nol de Ruiter legde de bondscoach staand voor het spelershotel in rustige bewoordingen de stand van zaken uit.

Van Basten kwam terug van een langdurige blessure. Hij miste conditie. Hij miste scherpte. Bosman en Kieft hadden een sterk seizoen gespeeld. En als spits van het Nederlands elftal had Bossie hem nooit teleurgesteld. Waarom zou hij die winnende combinatie Gullit / Bosman veranderen?

Van Basten luisterde wel, maar de argumenten klonken toch vooral Michels als overtuigend in de oren. Na wat over-en-weergepraat kreeg Michels het laatste woord. 'Nou moet je zeggen wat je wilt, Marco,' zei de bondscoach. 'Als je weg wilt kun je wat mij betreft gaan.'

Van Basten antwoordde die avond niet, maar vertelde de volgende ochtend, die van 2 juni 1988, aan Michels zich volledig dienstbaar op te stellen aan datgene wat de bondscoach goed en noodzakelijk achtte voor het team. Al die pittige en felle trainingen met het Nederlands elftal zouden hem in elk geval fit maken voor het komende seizoen bij AC Milan.

III

Hij was nog nooit gewisseld. En ook tijdens het duel op 27 april 1964 was de vijfentwintigjarige linksbuiten Valeri Lobanovski weer belangrijk voor zijn club Dinamo Kiev. Maar twintig minuten voor het einde van de uitwedstrijd tegen Spartak Moskou, met een 1-0 voorsprong, riep Kiev-coach Viktor Maslov hem ineens naar de kant. Niet veel later scoorde Spartak de gelijkmaker en eindigde de wedstrijd met een gelijke stand: 1-1.

Na afloop speculeerden de Russische media over een door Maslov en de coach van Spartak, Nikita Simonjan, van tevoren afgesproken resultaat. De altijd strikte en zeer gedisciplineerde Lobanovski had daar niet aan mee willen werken en was daarom gewisseld. Geen van de journalisten lukte het om het verhaal van de doorgestoken kaart rond te krijgen. Al was het wel heel opvallend dat Lobanovski nog slechts één wedstrijd uitkwam voor Kiev en vervolgens met de goedkeuring van Maslov ging spelen voor FC Tsjornomorets Odessa.

Desgevraagd ging de coach niet in op allerlei suggestieve vragen. Voor hem was de transfer van Lobanovski een puur tactische kwestie. Hij was namelijk druk bezig met het doorvoeren van een nieuw tactisch concept: 4-4-2. Twee jaar later zou de Engelse coach Alf Ramsey met dit systeem – The Wingless Wonder genaamd – in eigen land wereldkampioen worden. Maar het was Maslov die voor het eerst speelde met een team zonder buitenspelers. Voor een klassieke linksbuiten als Lobanovski was begrijpelijkerwijs geen plek.

Ondanks deze plausibele verklaring hielden de geruchten over de precieze achtergrond van de Wissel van Moskou nog jarenlang aan. Totdat uiteindelijk Lobanovski nadat hijzelf voetbaltrainer was geworden aan de speculaties een einde maakte. Op een dag antwoordde hij op een verdwaalde vraag van een journalist over die ene wissel in Moskou dat 'de coach Lobanovski de speler Lobanovski destijds in het geheel niet had opgesteld'.

IV

Met zijn typerende huppelende drafje loopt Gerald Vanenburg richting de zijlijn waar Marco van Basten wacht om in te vallen. De camera's in het stadion hebben de gepasseerde spits dan al meerdere malen gevolgd tijdens het warmlopen op de sintelbaan. Voor de televisiekijkers stond onder in beeld ter verduidelijking: '12 M. van Basten 23 Jahre / 16 Länderspiele'.

Op weg naar de spelerswissel trekt Vanenburg een verongelijkt en teleurgesteld gezicht en tikt uiteindelijk zijn vervanger aan met zijn linkerhand, waarna de toekomstige ster van het EK met rugnummer 12 het veld in rent. De televisiecamera volgt Van Basten met een close-up tijdens zijn toernooientree als voetballer. Na enkele stappen in het veld maakt hij een bedarend gebaar in de richting van John van 't Schip: zijn oude ploeggenoot kan rustig aan de linkerkant blijven spelen.

Dat geldt ook voor Bossie, de volgende oud-clubgenoot die Van Basten instrueert. Blijf jij maar spits, dan ga ik daar wel achter voetballen, zeggen zijn handen.

Dan kiest de regisseur voor het vertrouwde overzichtsshot met de bal in beeld. Gullit heeft, als de nieuwe rechtsbuiten van dienst, de bal ontvangen en probeert zijn tegenstander te passeren.

Het is de 58ste minuut. Rusland leidt met 1-0 dankzij een doelpunt van linkermiddenvelder Vasili Rats, precies vijf minuten geleden. Met Van Basten binnen de lijnen is het Nederlands elftal van een 4-3-3 opstelling met inschuivende laatste man overgestapt naar het spelen met een 3-3-4 opstelling. Twee buitenspelers, twee spitsen, een consequent inschuivende laatste man: met zo'n aanvallend elftal kon een doelpunt eenvoudigweg niet uitblijven.

V

Frankrijk, midden jaren tachtig. Johan Cruijff, inmiddels de technisch directeur bij Ajax, sprak lange tijd met Valeri Lobanovski, de toenmalige coach van Dinamo Kiev. Ze wisselden ideeën uit en vertelden elkaar over hun beider voetbalvisies. Cruijff raakte die dag vooral onder de indruk van de manier waarop Lobanovski al jarenlang bij Dinamo Kiev werkte om het aantal gemaakte fouten van zijn elftal te minimaliseren.

'Dat heb ik van hem overgenomen,' zei Cruijff in een interview vlak voor het EK van 1988 over het 'indammen van het aantal persoonlijke fouten'. 'Je moet wel oppassen dat je zoiets niet te ver doorvoert, want dan gaat het weer ten koste van het improviseren en dat vind ik nou juist het boeiende aan voetbal.'

VI

Na de uiteindelijk met 1-0 verloren wedstrijd tegen de Sovjet-Unie zat Rinus Michels in de door de NOS gebruikte Duitse studio in Keulen. De bondscoach was, na aanvankelijk te hebben getwijfeld

– 'wat moet ik met die pottenkijkers' –, akkoord gegaan met de voortdurende aanwezigheid van verslaggever Kees Jansma. Slechts één man voor de nationale radio en televisie was overzichtelijk. En dus sprak hij, zoals hij vervolgens na alle wedstrijden zou doen, met Jansma over de zojuist verloren wedstrijd.

Michels zat rechts van Jansma, voor de kijkers links dus. Hij had zijn rechterbeen over zijn linkerknie gekruist en de beide armen, ook al gekruist, steunden op de benen. Jansma, met zijn stoel, blik en lichaam richting Michels gedraaid, zat wijdbeens toen hij het vraaggesprek begon.

'We kunnen spreken van een afknapper.'

'Zeker.'

VII

Het was een wedstrijd in een wedstrijd. Al was die betiteling niet geheel juist. Ook de tactische strijd tussen Rinus Michels, de architect van het totaalvoetbal, en zijn Russische collega-coach Valeri Lobanovski werd immers afgemeten aan het eindresultaat. En in die zin was de stand aan de vooravond van de EK-finale tussen opnieuw Nederland en de Sovjet-Unie 1-0 in het voordeel van Lobanovski.

De van oorsprong Oekraïense coach had de laatste jaren veel naam gemaakt door met Dynamo Kiev tot twee maal toe de Europacup II te winnen. Vooral de laatste winst in 1986 was indrukwekkend. De spelers van Kiev die als één geheel – de kranten schreven graag over 'een goed geoliede machine' – over het veld bewogen, deden denken aan teams uit het verleden: Nederland in 1974 of het Uruguay van de jaren twintig. Voetbalprofessoren zagen het spel van Kiev als het voetbal van de toekomst. En met negen basisspelers van Kiev speelde het Russische team in 1988 onder zijn leiding eenzelfde soort futuristisch voetbal.

Belangrijk tijdens de intensieve en uitgebreide trainingen was de rol van de wetenschap. Als student warmtetechniek had Lobanovski begin jaren zestig de opkomst van de computer meegemaakt. Met behulp van hoogleraren van de universiteit van Kiev ontwikkelden hij modellen om de kennis van het voetbalspel te vergroten.

Er werd gebruikgemaakt van statistieken. Iedere speler werd op de tribune gevolgd door iemand die alle acties turfde. Trainer én spelers wisten na wedstrijden precies wat ze deden en hoe vaak. Er waren revolutionaire inzichten voor de conditionele training. En misschien wel het belangrijkste onderdeel van de evolutie in het voetbalspel waren de vele groepspatronen die werden ingestudeerd. Daarbij ging het niet alleen om een speciale hoekschopvariant, maar om daadwerkelijke spelsituaties, bijvoorbeeld hoe een linkshalf moest reageren als een centrale verdediger met een lange diagonale pass de op rechts lopende spits de diepte in stuurde.

De patronen volgden de normale voetballogica: net zoals bij trappen, bij koppen of bij het kappen achter het standbeen. Het waren instrumenten, te gebruiken door het hele team. In die zin waren de spelers ook geenszins robots, maar veel meer schakers met een uitgebreide kennis van openingen, midden- en eindspeltechnieken. Toch maakte de wijze van trainen – gedisciplineerd en urenlang – en de soms wat machinaal ogende uitvoering op het veld de zo geliefkoosde beschrijving van het Russische voetbal als 'een goed geoliede machine' wel begrijpelijk.

Daarbij had Lobanovski ook een korte formulering voor de oplossing van het voetbalspel: een team dat in al zijn acties slechts vijftien tot achttien procent fouten maakte, was volgens de modellen onverslaanbaar.

'Wij hadden onze stijl tenminste niet aangepast,' zei Ruud Gullit na afloop van het openingsduel. 'Maar als je die Russen zag. Ik heb Belanov nog nooit zo defensief zien spelen.'

Het was een begrijpelijke reactie van de aanvoerder. Nederlanders voetbalden initiatiefrijk, dat was hun natuur. Gullit kon zich in elk geval niet herinneren dat het ooit anders was geweest. Nederlanders voetbalden zoals voetbal bedoeld was. En als je dan niet voldoende doelpunten scoorde, kon je met opgeheven hoofd zeggen dat je voetballend toch echt beter was geweest.

Michels zag dat anders. Net als collega Lobanovski had hij geleerd tactische accenten te zetten als een tegenstander daarom vroeg. In het vervolg van het toernooi koos hij in de tweede wedstrijd tegen Engeland met zijn kopsterke verdedigers voor de spits die het best over de grond was: Marco van Basten. Opvallender keuze was die wedstrijd de vervanging van John van 't Schip door Erwin Koeman. Daarmee brak hij met het gedurende de gehele voorbereiding zo gekoesterde idee van spelen met buitenspelers. Op papier werd de 4-3-3 opstelling een 4-4-2 systeem, waarbij Michels wel zijn 'operationele ruimtes' links en rechts voorin wenste te benadrukken. Deze werden expres vrij gelaten zodat spitsen, middenvelders en verdedigers daar aanvallend konden 'penetreren'.

Na de 3-1 overwinning – drie doelpunten van Van Basten – zag de coach geen reden meer om die samenstelling te veranderen. Alf Ramsey – de coach van The Wingless Wonder in 1966 – gaf daarvoor ooit het beslissende argument: 'Never change a winning team.'

Bij toeval had Michels zijn ideale team gevonden. Net zoals ook de tweede ronde met het nodige fortuin was behaald. Engeland raakte twee keer de paal voordat Nederland scoorde. Ierland werd alleen verslagen door een gelukkige kopbal van invaller-spits Willem Kieft. Daarna was in de halve finale in een sterke wedstrijd met 2-1 van West-Duitsland gewonnen. Deze winst was in Nederland de afgelopen dagen gevierd als een kampioenschap. Het onrecht van de verloren WK-finale in 1974 was goedgemaakt, redeneerde Nederland. Temeer omdat het op zo'n typisch Duitse manier was gebeurd: met een doelpunt van Van Basten in de 89ste minuut. Vlak voor tijd winnen was een kwaliteit die tot de gedenkwaardige 21 juni alleen voor Duitsers was weggelegd.

Historicus Loe de Jong, de Nederlandse chroniqueur van de Tweede Wereldoorlog, constateerde naast 'een zalige revanche op de nederlaag van 1974' dat de grote blijdschap ook 'te maken had met de oorlog'.

Michels begreep dergelijke sentimenten. Later zou hij zelfs ten overstaan van tienduizenden feestvierende mensen op het Amsterdamse Museumplein zeggen: 'de halve finale was de finale'. Maar juist gelouterd door de ervaring van '74 wilde Michels deze finale van '88 winnen. En om dat voor elkaar te krijgen moest hij een eerder in het toernooi opgelopen achterstand goedmaken.

Het probleem van de vechtlust was inmiddels opgelost. De beleving bij de spelers was in de eerste wedstrijd tegen de Russen wel goed, maar niet meedogenloos genoeg. Om te winnen moest er ook uitgedeeld worden: het WK van 1974 was daarvan een sprekend voorbeeld. In de verdere wedstrijden was die instelling wel aanwezig geweest. Daarbij had Gullit zich steeds meer ondergeschikt gemaakt aan het teambelang: kon hijzelf niet schitteren, dan Marco van Basten. Een echte aanvoerder vond Michels, die dienstbaarheid aan het team zeer hoog achtte. Dat hij van Gullit namens alle spelers gisteren een cadeau had gekregen – een rond uurwerk van goud met een roodbruin bandje en de inscriptie 'Bedankt, de groep Euro 88' – gaf aan dat ook de teamsfeer buitengewoon goed was.

Het enige wat nog om een tactische oplossing vroeg, was de Russische speler Michajlitsjenko. Met diens grote loopvermogen had hij in het openingsduel Gullit te vaak gedwongen tot meeverdedigen. Als Koeman dichter bij zijn aanvoerder zou spelen kon hij af en toe Michajlitsjenko afstoppen.

En zo speelde Nederland zijn enige gewonnen finale: met een doorschuivende laatste man in een op papier 4-4-2 systeem zonder vleugels maar met operationele zones om naar hartenlust in te kunnen penetreren.

En ergens in die opeenstapeling van revolutionaire ideeën, spelopvattingen, theoretische kaders, uitgangspunten, groepspatronen, tactische vondsten, geprepareerde voetbalacties, visies, gestroomlijnde patronen, vooraf bedachte voorstellingen van zaken en methodologische aannames was er in die finale van 25 juni 1988 zomaar ineens het voldongen feit van een doelpunt.

Tot dat moment, de 33ste minuut, maakte vooral het team van de Sovjet-Unie een sterke indruk. Het eerste kwartier had het Nederland vastgezet op eigen helft. Door goede reddingen van keeper Hans van Breukelen was een Sovjets doelpunt voorkomen. Maar langzaam kroop het Nederlands elftal uit zijn schulp en in de betreffende minuut mocht Erwin Koeman aan de rechterkant van het veld een hoekschop nemen.

Hij draaide de bal met zijn linkerbeen naar de eerste paal, waar Gullit het kopduel verloor van Litovsjenko. De weggewerkte bal stuiterde in de richting van Erwin Koeman, die de bal opnieuw met zijn linkerbeen voorgaf: dit keer richting strafschopstip, naar daar waar Van Basten stond.

De Russische buitenspelval was te laat. Van Basten sprong hoger dan zijn tegenstander en kopte de bal richting de vrijstaande Gullit. Oog in oog met Dasajev passeerde de aanvoerder de Russische keeper met een harde kopbal: 1-0.

In de rust van de finale, Nederland leidde nog steeds met 1-0, kreeg Michajlitsjenko van Lobanovski de schuld van het Nederlandse doelpunt.

VIII

'Eigenlijk probeerde ik met trainen zo fit mogelijk te zijn. Maar ik merkte wel in die wedstrijd dat mijn krachten wat aan het opraken waren. Dus die bal die ik toen kreeg, had ik zoiets van, nja ik kan 'm nu wel weer aannemen en ingewikkeld doen, ik sta tussen een aantal Russen. Ik kan ook gewoon proberen om te schieten en dan kijken hoe zich dat uitpakt. Dus ik had eigenlijk zoiets van, nou ja ik probeer het en ik zie wel. En het pakte eigenlijk heel erg positief uit.' (Marco van Basten kijkt jaren later terug op het tweede doelpunt in de met 2-0 gewonnen EK-finale tegen Rusland, dat wonderlijke volleyschot uit een schier onmogelijke hoek.)

12

Sleutelback van Oranje. Of een terugkeer naar Beverwijk

1 september 2001
Dublin, aanvang 15.00 uur
WK-kwalificatie, Lansdowne Road
Ierland – Nederland 1-0

De linksback die het verschil kan maken luistert naar de getergde bondscoach. Het is rust en de eerste helft van de kwalificatiewedstrijd tegen Ierland is niet slecht gespeeld. Patrick Kluivert had al direct na twee minuten een grote kans om te scoren, maar schoof de bal, vrij voor keeper Shay Given, net langs de verkeerde kant van de paal. En daarna kreeg Boudewijn Zenden in de zestiende minuut de kans om de ver voor zijn doel staande Given met een lobje te verslaan, maar die poging mislukte, ook omdat de bal te weinig stuiterde op het droge veld.

Dat is trouwens echt een drama, dat veld, alsof ze er een laag lijm overheen hebben gesmeerd. Het door Van Gaal gewenste hoge baltempo is ook daarom nog niet goed gelukt. Eigenlijk hebben ze te opportunistisch gespeeld. Te vaak een hoge bal richting de diepe spits Van Nistelrooij. Te weinig geprobeerd om Kluivert, die iets teruggetrokkener speelt, te bereiken.

Marc speelt op links wel weer lekker. Fijn dat Overmars daar staat. Hem kent Arthur Numan al jaren. Hij was er destijds ook bij tegen Australië met het Olympisch team. En met hem heeft hij binnen en buiten het veld een fijne klik. Ook omdat de rechtsbenige buitenspeler graag naar binnen trekt waardoor Numan als linksback op kan komen aan de zijkant. Vandaag is dat er nog niet van gekomen.

Ierland-Nederland

Dat komt ook door die ongelukkige botsing met Jason McAteer. Na zo'n vierentwintig minuten lag hij opeens met een hoofdwond op een brancard, waardoor aanvoerder Phillip Cocu zijn plek als linksback overnam. In de kleedkamer kreeg hij snel een paar hechtingen en bij terugkeer in het veld begon het Ierse publiek weer snerpend hard te fluiten. Als speler van Glasgow Rangers is Numan in hun ogen protestant, een 'Blue Nose'. En die pruimen ze niet in katholiek Dublin. Dat fluiten begon al tijdens de trainingen en duurt ook tijdens de wedstrijd voort. Het deert hem in het geheel niet. Zo'n groene zee van duizenden Ierse supporters die zich tot jou richten: machtig mooi is dat juist.

Vervelend was wel dat na zijn terugkeer op het veld de Nederlandse dominantie grotendeels was verdwenen. Net alsof de Ieren gedurende zijn blessurebehandeling ineens door hadden gekregen hoe ze het Nederlands elftal moesten bespelen. Vlak voor rust hadden ze zelfs enkele kansen op een doelpunt.

Van Gaal is inmiddels klaar met zijn korte betoog. Kluivert moet als vrije man op het middenveld meer gezocht worden. En er moet meer over de vleugels worden gespeeld. Gewoon het bekende Nederlandse spel. Met wisselen wacht de coach nog. Numan loopt even naar de teamarts en laat zijn hechtingen bekijken.

Gek toch, denkt hij, maar in de bijna dertig jaar dat hij als eenendertigjarige voetbalt – alleen in de wieg was er nog geen bal aan zijn voeten – springen er maar enkele wedstrijden uit als cruciaal voor zijn ontwikkeling als voetballer. Zijn loopbaan is één grote blauwdruk van regelmaat, van gestaag beter worden totdat je uiteindelijk aan de absolute top staat. En de absolute top is natuurlijk de WK-finale. Dat je met tweeëntwintig spelers ten overstaan van de hele wereld mag strijden om de hoogste prijs, dat is misschien objectief niet de juiste voorstelling van zaken, maar zo ziet hij het wel. En als het in Frankrijk in 1998 net iets anders was gegaan, dan had hij die absolute top ook bereikt. Geen misse carrière dus, tot nu toe.

Maar in al die jaren, als je alleen de proftijd telt zijn dat er inmiddels dertien, springen er maar enkele wedstrijden uit: zijn debuten voor Haarlem, FC Twente, PSV en Glasgow Rangers natuurlijk. En dan was er die ene vreselijke wedstrijd tegen Australië in de Utrechtse Galgewaard. Hoe vaak heeft hij die niet al in zijn hoofd opnieuw gespeeld? Hoe vaak won hij die wedstrijd dan wél? Maar bij die laatste wedstrijd is de herinnering direct gekoppeld aan het resultaat.

Als cruciaal duel voor zijn ontwikkeling als voetballer springt toch vooral die ene selectiewedstrijd in zijn jeugdjaren eruit. Het moet in 1986 zijn geweest, in elk geval op het terrein van Vitesse '22 uit Castricum. Als de aanvoerder van het regionale selectieteam van Haarlem en omstreken was hij uitgenodigd voor een selectiewedstrijd voor een nog te vormen nationaal jeugdteam.

De twee teams uit de regio Noord-Holland bestonden uit voornamelijk jeugdspelers van Ajax, de gebroeders De Boer, Bryan Roy en Danny Muller, jongens die in en buiten het veld een typische Amsterdamse bravoure toonden. Numan, een jaar eerder door eredivisionist HFC Haarlem gescout bij de amateurs van Beverwijk, de club uit zijn geboortedorp, stond op het middenveld naast spelverdeler Danny Muller. Hij deed die avond iets wat hem jaren later nog steeds aangenaam verrast.

Zijn team kreeg een vrije trap op de rand van het strafschopgebied. Als vanzelfsprekend pakte Muller de bal en ook andere Ajacieden maakte aanstalten om de vrije trap te nemen. Zonder ook maar een woord te wisselen met zijn medespelers liep Numan naar de inmiddels door Muller neergelegde bal. Hij pakte deze op, plukte een hinderlijk grassprietje weg en legde de bal terug op het gras, precies goed voor zijn linkerbeen.

Een aanloop, een gekrulde bal in de verre kruising en de hiërarchische positie van dat kleine middenveldertje van Haarlem was voor eens en altijd bepaald. Die Numan kon voetballen. En die Numan wilde je graag bij jou in het team hebben.

Wat deze wedstrijd van extra belang maakte was de opmerking die zijn aanwezige vader opving bij de scouts aan de zijkant. Dat-ie kon voetballen wisten ze al. Dat-ie bravoure bleek te hebben was een welkome verrassing. Maar fysiek zou die dreumes met dat goede linkerbeen altijd te kort komen voor de absolute top.

Die ene wedstrijd leerde Numan precies wat hij moest weten voor zijn verdere voetballoopbaan. Fysiek sterker worden. En zorgen dat je jouw eigen plek in een team te allen tijde opeist. In al die dertien jaar was hij daarin een meester gebleken. Het had hem uiteindelijk ook tot het Nederlands elftal gebracht. Deze wedstrijd tegen Ierland is alweer zijn 41ste interland.

De dokter zegt dat zijn wond er goed uitziet. Geen enkel probleem voor de tweede helft. Numan kijkt even naar Overmars. En Overmars kijkt naar Numan. Beiden zitten lekker in de wedstrijd. Beiden weten wat er moet gebeuren. Verlies of een gelijkspel betekent uitschakeling voor het WK. Alleen winst telt. Dit moet 'm zijn, zegt de linksback uit Beverwijk tegen zichzelf. Dit is de wedstrijd waarin hij weer het verschil kan maken.

I

Zo voelt dat dus. Nooit geweten dat het kon, maar zoveel pijn doet dat dus. Een spelletje, een liefhebberij, iets wat je doet voor je plezier. Hij weet dit allemaal donders goed. En ondanks dat hij inmiddels ook weet wat het betekent om er je geld mee te verdienen, staat hij altijd nog met groot plezier op het voetbalveld. Trainingen of wedstrijden: voor hem is het altijd weer bijzonder als hij op het veld mag staan. Je best doen omdat het zo leuk is. Maar ook omdat je beter wilt worden, omdat je prijzen wilt pakken. Omdat je op het hoogste niveau wilt spelen.

En dat laatste kon dus. Bijna. Zo'n tien minuten geleden was het zelfs nog de werkelijkheid. Hij, aanvoerder van het Nederlands Olympisch Elftal met spelers als Ronald de Boer, Marc Overmars, Gaston Taument, Michel Kreek, Erik Meijer en Phillip Cocu, had zijn team in de beslissende kwalificatiewedstrijd voor de Spelen van Barcelona tegen Australië in de eerste verlenging op een bevrijdende 2-1 voorsprong gezet. Ook in de tweede verlenging waren ze veel beter, al hadden Ronald de Boer en hijzelf nog wel een doelpunt mogen maken. Dan hadden ze het noodlot wel kunnen voorkomen.

Nu had het noodlot zich geopenbaard in:

Een Australische pass naar de opkomende Ned Zelic.

Een nét te late sliding van verdediger André Karnebeek, waardoor Zelic met de bal door kon lopen richting de achterlijn.

Een schot van Zelic, dat vanaf twaalf meter van het doel en zo'n meter vanaf de achterlijn strak in het net achter Edwin Zoetebier belandde: de onfortuinlijke keeper die te veel ruimte liet bij de eerste paal. 2-2: weg kwalificatie voor de Olympische Spelen in Barcelona.

Want wat speelden ze goed in die verlenging en wat was dit gelijke spel onverdiend.

De aanvoerdersband knelt een beetje terwijl hij op het veld is gaan zitten. Of nee, op het veld is neergezonken. De kracht is uit zijn lichaam verdwenen. Hangend op zijn knieën, met zijn typerende gekromde rug, bestaat hij voor even volledig uit water, ontgoocheling, teleurstelling en een diep verdriet. En dat doet dus fysiek pijn, zulk verdriet. Dat weet hij nu.

Zo dichtbij en dan toch helemaal niet. Hij zit op het veld van de Utrechtse Galgewaard en terwijl hij de pijn van de onnodige uitschakeling voelt, dringt langzaam het besef door dat hij dit nooit meer wil. Het besluit zal pas later komen, maar daar op het veld in het stadion van FC Utrecht weet Arthur Numan dat hij dit gevoel nooit meer wil hebben. Zo'n wedstrijd komt er nooit meer.

II

1 september 2001, ook in Ierland, maar dan rond het Slane Castle in Slane en ergens in de avonduren.

De wereldberoemde popzanger uit Dublin die op alle podia ter wereld altijd weer de geheel witte vredesvlag prefereerde boven zijn eigen Ierse vlag, heeft het erg goed naar zijn zin. Eerder keek hij tezamen met de andere U2-bandleden en de meer dan 80 000 muziekfans rondom het kasteel op een groot televisiescherm naar de verrichtingen van het nationale voetbalteam op weg naar het WK 2002. Daarna mocht hij optreden.

En op dit moment van het nu al legendarische U2-concert is Paul David Hewson, beter bekend als Bono, aanbeland bij een van hun klassiekers: New Year's Day.

'*Iiiiii, I willll beeeginnnnn aaaagain.*'

Staand op het lange podium temidden van het publiek zingt Bono over het opnieuw beginnen als zijn oog op een Ierse vlag in het publiek valt. Hij kijkt de eigenaar in de ogen en zegt: 'Gooi mij die vlag eens.'

De man in het publiek gehoorzaamt en Bono vangt de Ierse driekleur met zijn linkerhand, slaat zijn hoofd achterover in zijn nek en schreeuwt '*woooaaaaaahhhhhhoooooooooo*' in de microfoon. Dan is hij even rustig. The Edge speelt op de piano de herkenbare melodie van het klassieke nummer. Bono is zichtbaar iets aan het bedenken. Hij lacht even en bijt koket op het puntje van zijn rechterwijsvinger.

'Misschien dan één keer,' zegt hij en steekt dezelfde wijsvinger op. 'Een keertje.' En met een grote glimlach drapeert Bono na al die jaren van de witte vredesvlag de Ierse vlag over zijn schouders.

'Sluit je ogen en stel je voor,' zegt de in een Ierse vlag gewikkelde zanger, terwijl de andere bandleden nog steeds de bekende klanken spelen. '*It's Jason McActeer.*'

Gitarist Edge start een gitaarsolo en 80 000 mensen keren voor even terug naar eerder die dag, terug naar de 69ste minuut van de wedstrijd tussen Ierland en Nederland.

III

Vanaf de tribune in het Ierse stadion ziet Frank de Boer het voor zijn ogen misgaan. De verdediger van Barcelona had natuurlijk graag zelf op het veld gestaan. Als aanvoerder van het Nederlands elftal mag hij juist in zo'n cruciale wedstrijd niet ontbreken. Bovendien was het een persoonlijke revanche geweest om weer te kunnen spelen na zijn schorsing vanwege vermeend dopinggebruik. Van Gaal had hem gesteund. Hij had in de laatste kwalificatiewedstrijd, in juni tegen Estland, ondanks een schorsing voor de Spaanse competitie gewoon gespeeld. En die schorsing liep gisteren, 31 augustus, af. Lekker vrijuit spelen was fijn geweest. Maar de blessure aan zijn achillespees is te hardnekkig. En dus staat Kevin Hofland van PSV op zijn positie centraal in de verdediging en zit hij op de tribune.

Ter inspiratie voor zijn ploeggenoten had hij nog wel een fax gestuurd: over hoeveel indruk het WK van 1998 op hem had gemaakt en hoe belangrijk het zou zijn om met deze spelersgroep wederom zo'n toernooi mee te mogen maken. Niet winnen tegen de Ieren was daarom onacceptabel. Met die fax droeg de aanvoerder toch nog iets bij.

Op het veld tikt Numan de bal naar Hofland. De linksback snapt precies wat De Boer bedoelde met zijn fax. Tijdens dat WK 1998 had híj als vaste basisspeler gedwongen moeten toekijken naar een wedstrijd: de halve finale tegen Brazilië. De diepst mogelijke zenuwen gierden destijds door zijn lichaam; ingegeven door het idee dat hij er zelf niks aan kon veranderen, niet zelf het verschil kon maken. Door twee gele kaarten – en dus een rode – in de kwartfinale tegen Argentinië keek hij die 26ste mei 2010 in het stadion in Marseille met een schorsing gedwongen toe vanaf de tribune. Twee uur lang was Numan machteloos. Met naast hem, al even machteloos, Marc Overmars, die door een vervelende hamstringblessure ook niet kon spelen.

Wat nou als wij wel mee hadden gedaan? Na die 180 machteloze minuten keerde juist die vraag op gezette tijden terug. En dan kwam ook altijd even dat moment terug van de niet-gegeven strafschop aan Pierre van Hooijdonk. De ingevallen spits werd in de toegevoegde tijd van de reguliere wedstrijd in het Braziliaanse strafschopgebied door verdediger Júnior Baiano aan zijn shirt getrokken. De overtreding was overduidelijk een strafschop waard. Tenminste, het was overduidelijk voor supporters van het Nederlands elftal. Scheidsrechter Ali Mohamed Bujsaim zag deze situatie geheel anders en toonde Van Hooijdonk een gele kaart voor een schwalbe.

Uiteindelijk brachten strafschoppen die avond de beslissing. Ook daarbij had hij moeten toekijken. Dat was vervelend, maar niet zo erg als het machteloze gevoel tijdens de wedstrijd en de verlengingen. Zenuwen voelen zonder uitlaatklep is het lot van de tribuneklant. En dat treft vandaag dus Frank de Boer.

Op het veld speelt Numan inmiddels de bal naar Marc Overmars. Nog voordat de linksbuiten de bal kan aannemen heeft de

Ierse rechtsback Gary Kelly al een sliding ingezet. Overmars tikt de bal nog wel net met zijn rechterbeen aan, maar voelt direct daarna de noppen van een Ierse schoen op zijn enkel. De aanvaller valt en scheidsrechter Helmut Krug fluit. Deze Duitser loopt rustig in de richting van Kelly die alweer is opgestaan.

Dit is een kans, denkt Numan. Dat moet een tweede gele kaart voor die Ierse back worden. Hij loopt met de armen hoog geheven naar de scheidsrechter. Aanvoerder Cocu staat daar inmiddels ook. '*Ref! Ref!* Dat is een gele kaart!' roepen ze allebei. Met de linkerhand futselend in zijn rechterborstzak arriveert Krug bij de Ierse back. Hij toont Kelly inderdaad de gele kaart, grijpt dan met zijn rechterhand een rode kaart uit zijn kontzak en toont ook deze aan de rechtsback. Het is de 58ste minuut, de stand is nog steeds 0-0 en Ierland moet met tien man verder.

Misschien valt het dan toch allemaal nog mee.

IV

'Oh no!' zegt de Ierse televisiecommentator in de 61ste minuut van de wedstrijd. Aanvoerder Phillip Cocu probeerde met een boogballetje spits Ruud van Nistelrooij te bereiken. Het leek ongevaarlijk tot het misverstand tussen verdediger Steve Staunton en keeper Given. De eerste kopte terug, terwijl de tweede al was uitgelopen om de bal van Cocu op te pakken.

De bal rolt langs de keeper richting het lege doel en de doorgelopen Van Nistelrooij botst tegen de zich omdraaiende Given aan.

'Dat moet een strafschop zijn, is het niet?' zegt de Ierse commentator. 'Nee, het is er geen. Dat is toch ongelofelijk. Dat is ongelofelijk!'

Al voor de constatering dat het geen strafschop is, rolde de bal langs de voor Nederland verkeerde kant van de paal. Van Nistelrooij is inmiddels weer gaan staan. Met de handen in de lucht vraagt hij om een strafschop. Zijn blik is vol ongeloof.

'Het begon met het nodige gerommel in de achterhoede,' zegt de Ierse co-commentator. 'Ik weet niet, maar we schijnen opeens te denken dat we Brazilië zijn en dat we de bal rustig achterin rond kunnen spelen. Maar dat is precies het verkeerde om te gaan doen.'

Terwijl de Ierse televisie het gevaarlijke, maar uiteindelijk kolderieke moment herhaalt laat Louis van Gaal langs de zijlijn aan de vierde official weten het onbegrijpelijk te vinden dat er geen strafschop aan Nederland is gegeven.

Nog even en dan zal de bondscoach linksback Arthur Numan wisselen voor spits Pierre van Hooijdonk.

V

Misschien had hij het duel in de 69ste minuut van de wedstrijd wel gewonnen. Het was in het Nederlandse strafschopgebied en daarom begreep Numan wel dat Cocu – na zijn wissel in de 62ste minuut was de aanvoerder samen met Kevin Hofland aan de linkerkant in de verdediging gaan spelen – niet al te fel het duel inging met de opkomende Ierse rechtsback Steve Finnan. Een strafschop is immers zo gegeven.

Maar fataal was het zwakke ingrijpen van Cocu natuurlijk wel. Of beter gezegd: het was een van de plekken waarop de beslissende Ierse aanval onderbroken kon worden.

Mark van Bommel, rechtshalf, had de eerste kans, toen hij een duel met de Ierse aanvoerder Roy Keane, net over de middenlijn, met te weinig overtuiging inging waardoor Keane eenvoudig bij hem weg kon draaien.

Vervolgens had Stam ook met net iets meer overtuiging de sliding kunnen inzetten op de doorgelopen Keane. Maar Jaap had in ieder geval Keane nog geraakt, waardoor de Ierse aanvoerder viel en hij de bal kwijt was.

Dat scheidsrechter Krug vervolgens voordeel gaf aan Ierland was een goede beslissing van hem. Maar toch ook weer een verkeken mogelijkheid voor Nederland om deze Ierse aanval te onderbreken. Zo goed floot hij tenslotte niet.

Aan het breedtepassje van spits Damien Duff – de bal rolde na de overtreding van Stam op Keane in zijn voeten, naar de opkomende Finnan, die direct na de rode kaart van Kelly in het veld was gekomen om diens positie als rechtsback over te nemen – was weinig te doen. Maar mogelijk had Cocu wel eerder naar de back moeten lopen. Dus niet af moeten wachten totdat hij een actie maakte, maar hem al buiten het strafschopgebied aanvallen. De pass naar de linkerkant van het veld had hij dan wel geblokt. Al was de Cruyffturn die Finnan vlak voor de beslissende pass met zijn linkervoet maakte, goed uitgevoerd. Net zoals bij Cocu had het blok van Numan moeten komen met zijn zwakkere rechterbeen: lastig dus. De linksback die in verschillende wedstrijden van het Nederlands elftal het verschil had kunnen maken durfde in dit geval geen definitief uitsluitsel te geven.

Dat Jason McAteer bij de tweede paal geheel ongedekt de bal langs keeper Edwin van der Sar kon schieten was voor het enige en beslissende doelpunt in de wedstrijd natuurlijk van nog groter belang.

Ongedekt? Doordat Van Bommel niet zag dat McAteer in zijn rug stond? Of was het toch de taak van Kevin Hofland om de rechtermiddenvelder te volgen, ook al liep hij naar de linkerkant? In de eerste helft, bij een vergelijkbare situatie, ontfutselde Numan als linksback de bal aan de rechterkant van McAteer. Toch?

Numan: 'Ja, maar daar hoorde ik niet te staan.'

Ik: 'Maar je stond er wel en deed het ook goed.'

Numan: 'Dat is waar, maar ik hoorde dat niet te doen.'

Jaren later keek de sleutelback van het Nederlands elftal in zijn huis in Beverwijk meerdere malen naar de voor Nederland zo onfortuinlijke goal van Jason McAteer. Uitsluitsel gaf dat allemaal niet, behalve dan dat het Drama van Dublin hem nog steeds veel minder pijn deed dan die halve finale in 1998 tegen Brazilië.

Samen met zijn maatje Overmars had hij die wedstrijd het verschil kunnen maken. En dan had ook hun generatie, die van de jaren negentig, bestaande uit spelers die in staat bleken hun wil aan de tegenstander op te leggen, dan had ook die groep een WK-finale gespeeld.

13

Stenen in Aveiro

19 juni 2004
Aveiro, Portugal, aanvang 19.45 uur
Poulewedstrijd EK 2004 in het Estádio Municipal
Nederland – Tsjechië 2-3

De bondscoach zwijgt. Onwetend over de aanstaande steniging door de publieke opinie zit Dick Advocaat in de dug-out van een Portugees voetbalstadion en zwijgt. De afgelopen twee jaar is hij voortdurend bekritiseerd over het vertoonde spel van het Nederlands elftal. Hij mag er als opvolger van Louis van Gaal in geslaagd zijn zich wel te plaatsen voor de eindronde, het Nederlandse publiek beschouwt het missen van een eindtoernooi als een toevalligheid. Plaatsing spreekt voor zich, net zoals een dominante en aanvallende voetbalstijl, bij voorkeur in de vertrouwde 4-3-3 opstelling met vleugelspelers.

Zo spelen staat inmiddels bekend als de Hollandse School.

Dat veel van de zestien miljoen bondscoaches – een columnistenbetiteling van de publieke opinie die de laatste tijd in zwang is geraakt – niet goed weten wat dat precies inhoudt is zelden onderdeel van discussie. Niet lang geleden had Johan Cruijff dat in een groot interview in *Voetbal International* nog eens uitgelegd. ‘Men haalt altijd twee dingen door elkaar: speelwijze en tactiek. Dat zijn totaal andere zaken.’

Speelwijze betreft de intentie waarmee je het veld opkomt: in het Nederlandse geval dus om aanvallend voetbal te spelen. Hoe je dat verder voor elkaar krijgt heeft te maken met tactische beslis-

Nederland-Tsjechië

singen. Voor Advocaat is dit verschil duidelijk. Hij laat zijn elftallen altijd aanvallend voetballen. Beschikbare spelers en de tegenstander bepalen de tactische aanpassingen. Dat ook Cruijff vindt dat het Nederlands elftal al twee jaar lang speelt 'als eenheidsworsten' – 'hard werken, twee spitsen en we zien wel waar het schip strandt' – was lastig om te horen, maar betreft slechts andere tactische accenten. Als bondscoach is Advocaat inderdaad iets meer behouden.

Hij wist trouwens precies wat hem te wachten stond toen hij ruim twee jaar geleden naast de functie van technisch directeur bij Glasgow Rangers ook bondscoach werd. De stemming in Nederland was vijandig, niet alleen bij het publiek. De KNVB was naar Barcelona gereisd voor het advies van Cruijff. De voormalig vicewereldkampioen en trainer in ruste zag bij voorkeur een van de Grote Drie van 1988 als hoofdverantwoordelijke bij het Nederlands elftal: Frank Rijkaard, Ruud Gullit of Marco van Basten. De laatste moest nog wel slagen voor een verkorte cursus Coach Betaald Voetbal, maar dat was voor Cruijff geen probleem.

Ondanks een eerdere toezegging bedacht Advocaat zich. Zonder cruciale steun bleef hij gewoon coach bij Glasgow Rangers. Maar de KNVB wenste nadrukkelijk niemand anders dan Advocaat. Daarop had hij, op aanraden van journalist Frits Barend, Willem van Hanegem gevraagd als zijn assistent, ook omdat de voormalig vicewereldkampioen geliefd was bij veel journalisten. Hij, de vaak opgewonden, serieuze coach en Van Hanegem altijd relativerend, grappig ook. Ondanks de nodige strubbelingen werkte de combinatie naar behoren, ook tijdens dit toernooi. Al vrat de aanhoudende kritiek over het vertoonde spel steeds meer aan hem. Vooral het drietal analyserende collega-trainers op de televisie – Co Adriaanse bij de NOS, Ronald Koeman bij *Villa BvD* en Louis van Gaal voor SBS 6 – ervoer hij als bedreigend. En na het fortuinlijke 1-1 gelijkspel tegen Duitsland in de openingswedstrijd waren ook de kranten weer zeer kritisch.

Het spel was besluiteloos en ondanks de twee buitenspelers – Boudewijn Zenden op links en Andy van der Meijde op rechts – niet herkenbaar als de Hollandse School.

En misschien is dat wel de reden waarom Advocaat nu even zwijgt.

Zittend in de dug-out, Van Hanegem naast zich, kijkt hij naar een uitstekend spelend Nederlands elftal. De Tsjechen zijn ook sterk, zelfs meer dominant. Maar Nederland voetbalt geconcentreerd en krijgt allerlei kansen. Bovendien is de twintigjarige Arjen Robben de beste speler van het veld.

De aanvaller van PSV aasde al sinds het begin van de EK-voorbereiding op een basisplaats. Trainer, ik ben er klaar voor: hoe vaak had Advocaat dat niet gehoord. Maar hij twijfelde aan de fysieke gesteldheid van Robben. Hij vreesde dat hij weer geblesseerd zou raken. Dat kon immers zomaar gebeuren met hem. Gelukkig heeft Advocaat het vanavond wel aangedurfd.

Vanaf zijn allereerste balaanname was Robben dreigend geweest. En in de vierde minuut nam de linksbuiten aan de rechterkant van het veld een vrije trap. Met gevoel en precisie plaatste hij de bal bij de tweede paal waar verdediger Wilfred Bouma, in vrije positie, de voorzet met een duik in het Tsjechische doel kopte: 1-0 voor Nederland.

Minder dan een kwartier later had Robben opnieuw een doelpunt voorbereid na een prachtige steekpass van Edgar Davids. Terwijl de linksbuiten versnelde om deze pass aan te nemen oordeelde de Spaanse scheidsrechter González dat Ruud van Nistelrooij buitenspel stond, maar niet hinderlijk buitenspel, en dus kon de spits van Manchester United zich, geheel vrijstaand voor het doel, aanbieden.

Advocaat riep vanuit de dug-out: 'Ineens erin slingeren!'

En Robben slingerde, alweer met veel gevoel en precisie, de bal inderdaad ineens naar Van Nistelrooij die de bal in het doel schoot: 2-0.

Een slordige terugspeelbal van aanvoerder Phillip Cocu had een tegendoelpunt tot gevolg. Maar daarna bleef Nederland de beste kansen krijgen. En speelde Robben ijzersterk.

Net nog, enkele minuten na rust, gaf de linksbuiten een met veel gevoel en precisie getrapte voorzet op spits Van Nistelrooij. Diens kopbal wist keeper Petr Čech met enig geluk tegen te houden: net geen 3-1. Maar de kansen blijven komen.

Toch overweegt Advocaat, inmiddels staand voor de dug-out, een tactische aanpassing. Er ontstaat meer ruimte op het middenveld, waar de dominerende Tsjechen steeds beter gebruik van maken.

I

31 juli 1984, ergens in Nederland ging een telefoon meerdere malen over. Dick Advocaat, oud-voetballer en trainer van de zaterdag-tweedeklasser Door Samenwerking Verkregen Pijnacker (DSVP), pakte de hoorn en herkende de stem van Rinus Michels, de onlangs door de KNVB aangestelde bondsmanager Technische Zaken en Opleiding.

'Dag Dick,' zei Michels.

Advocaat zweeg. Een amateurtrainer die zomaar door de nieuwbakken bondsmanager van de KNVB werd opgebeld? Natuurlijk was hij in de afgelopen drie seizoenen met DSVP in één keer van de vierde naar de tweede klasse gepromoveerd. Ook kende hij Michels al vanuit zijn tijd als actieve voetballer. Toch leek hem zo'n telefoontje net iets te onwaarschijnlijk.

Het was vast Maarten Spanjer, die acteur uit het sportprogramma *Voetbal '80*. Die kon de stem van Michels perfect nadoen en probeerde Advocaat te foppen. Het beste leek het hem het spel zo lang mogelijk mee te spelen. O ja, was dat zo? Assistent worden? Mmm, interessant zeg! Wat een eer ook.

Michels vroeg aan de ongelovige amateurtrainer om hem dan maar terug te bellen. En niet veel later had Dick Advocaat weer meneer Michels aan de telefoon. Het resulteerde uiteindelijk in een tweejarig contract bij de KNVB. En elders in Nederland, in Bedum in Groningen, verschoonde Marjo Robben de luier van haar zes maanden oude zoontje Arjen.

II

Hij kon naar Bayern München. Maar dat was nog te ver weg. Hij kon naar Ajax. Maar dat was vier jaar geleden al zo. En sindsdien was het er bij de Amsterdamse club niet beter op geworden. Het bezoek van Leo Beenhakker herinnerde hij zich nog goed. Bij het woord contract had de technisch directeur van Ajax een papiertje gepakt en er wat getallen op geschreven.

Vader Hans – begenadigd amateurvoetballer, jarenlang trainer van zijn jeugdelftallen en inmiddels ook zijn zaakwaarnemer – had hem aangekeken en beiden dachten hetzelfde: Ajax wordt het niet. Bij de derde club, PSV, was het gevoel wel goed. Daar ging hij spelen. Tenminste, daar tekende hij een contract om er het komende seizoen te gaan spelen. Van PSV mocht hij ook direct komen, maar in overleg met zijn vader verkoos hij nog een laatste seizoen bij FC Groningen, de club waar hij als zestienjarige debuteerde als profvoetballer.

'Dus ik ben wel tevreden,' had hij, Arjen Robben, op 3 december 2000 voor de televisiecamera's van RTV Noord gezegd na zijn debuut in de uitwedstrijd tegen RKC, uitslag 0-0. Al voegde hij daar wel aan toe dat een voorzet op ploeggenoot Martin Drent harder had gemoeten. Dan had de spits, vrij voor open doel, zeker gescoord. 'Maar ja, daar kun je nu niets meer aan doen.'

Zo blij met die eerste minuten vorig jaar, zo kwaad is hij dit seizoen met de wisselbeurten. Drie wedstrijden achter elkaar haalde FC Groningen-trainer Dwight Lodeweges de linkerspits voortijdig naar de kant. Onbegrijpelijk vindt hij. Net zoals hij ook nog steeds niet begrijpt wat zijn coach onlangs bedoelde tijdens een lang persoonlijk gesprek. Hij ging niet goed om met de kritiek van Lodeweges en van zijn medespelers op zijn te egoïstische spel. Hij té egoïstisch? 'Dat is onzin,' vindt Robben. 'Slaat nergens op.'

III

'Joh, hoe gaat 't?'

'Nou ja, nog steeds problemen met mijn hamstring.'

'Joh, concentreer je nou op de revalidatie, want wat er ook gebeurt, ik neem jou mee.'

Het was februari 2004 toen PSV-aanvaller en drievoudig international Arjen Robben tijdens een vluchtig gesprek met bondscoach Dick Advocaat op de parkeerplaats van sportcentrum Zeist te horen kreeg dat hij definitief was geselecteerd voor het komende EK in Portugal.

'Ook al neem ik je mee als nummer 23,' zei Advocaat. 'Jij bent zo'n groot talent. Ik neem jou altijd mee. Maar zorg dat je fit bent tegen die tijd.'

Maanden gingen voorbij, waarin Robben terugkeerde op het voetbalveld, nog weer een interland speelde, maar ook weer last kreeg van zijn hamstring. De linksbuiten koos wederom het sportcentrum in Zeist als plek om te revalideren en trof daar in mei opnieuw de bondscoach.

'Joh, maak je niet druk,' zei Advocaat. 'Ik heb het beloofd. Jij gaat mee, want jij wordt in de toekomst dé speler van Oranje.'

Advocaat hield woord en in de uiteindelijke selectie kreeg de weer herstelde Robben rugnummer 19 toebedeeld.

IV

Het is 10 juni, twee dagen voor de start van het EK in Portugal, als presentatoren Frits Barend en Henk van Dorp in hun programma *Villa BvD* de SBS 6-verslaggever Hans Kraaij junior te gast hebben. Na uitgebreid te hebben gesproken over de wenselijkheid van het opstellen van Arjen Robben in de openingswedstrijd tegen Duitsland kijkt Van Dorp naar Kraaij en zegt: 'Jij neemt Jan Mulder kwalijk dat hij te veel tekeergaat tegen Advocaat.'

Kraaij beaamt dit, draait zich met zijn gezicht naar Mulder die naast hem zit en bekent niet altijd naar *Villa BvD* te kijken.

'Maar je schijnt verschrikkelijk tekeer te gaan over Advocaat,' zegt hij. 'Alsof het een of andere crimineel is, alsof het een gek is, of dat hij de bak in moet. Er deugt van die man helemaal niets meer als ik Jan hoor praten.'

Mulder kijkt verbaasd om zich heen en reageert geprikkeld. 'Ik heb wel tegen Frits gezegd: ze moeten Advocaat ophangen. Dat heb ik wel gezegd.'

'Nou... Dan ben je vrij positief.'

'Jij hebt dat allemaal niet zo goed verstaan,' zegt Mulder. 'En eigenlijk vind ik: stenigen.'

Het laatste woord spreekt hij uit met veel gevoel voor de juiste intonatie. Ook steekt hij zijn linkerwijsvinger op.

'Maar, zo... dat kan je toch...' stamelt Kraaij alsof Mulder het inderdaad meent wat hij zojuist zei.

'Je zit schromelijk te overdrijven. Ik heb het alleen maar over die behoudende tactieken van dat Nederlands elftal.'

V

Langs de lijn heeft de Italiaan Pierluigi Collina gehoord over de gewenste Nederlandse wissel. Als de vierde official van dienst heeft hij het elektronische bord gepakt en daarop de getallen 19 en 21 ingevoerd: het eerste in rood, het tweede in oranje. Als het spel stilligt toont de scheidsrechter van de laatste WK-finale het bord aan het publiek. Naast hem staat Paul Bosvelt, middenvelder van Manchester City, met rugnummer 21.

Op de Tsjechische helft staat Arjen Robben in de middencirkel als hij het elektronische bord ziet met daarop zijn rugnummer.

Er is een korte verbazing, dan een moedeloos gevoel, waarna de linksbuiten met het hoofd lichtjes schuddend en voorover gebogen, de blik gericht op het gras, schokschouderend richting het onvermoede bord loopt.

Er klinkt een gong: het vaste geluid dat in dit Portugese stadion wordt gebruikt om een wissel aan te kondigen. Het Nederlandse gedeelte van de 30 000 supporters begrijpt daardoor wat er zich op dat moment afspeelt: Robben, de beste man, wissel?! Er volgt een hard en schril klinkend fluitconcert.

Zonder het hoofd of de ogen omhoog te richten slentert Robben richting de zijlijn. Verschillende Nederlandse spelers denken aan de rustperiode, zo'n veertien minuten geleden, waarin ze het voornemen van Advocaat om Robben preventief te wisselen nadrukkelijk hadden afgewezen. Hij zorgde voor dreiging en met zijn balbezit gaf hij de Nederlandse verdediging even een moment van rust. En nu wisselt Advocaat hem dus toch: onbegrijpelijk.

Rechtshalf Clarence Seedorf van AC Milan loopt in een draf richting de bondscoach die aan de zijlijn staat.

'Dames en heren,' schalt door het stadion. Het fluiten vermindert. De Nederlandse speaker vertelt over de wissel en het Nederlandse publiek reageert met een dankbaar applaus. Robben richt zijn hoofd op, draait het lichaam al slenterend richting de tribunes en applaudisseert met beide handen boven zijn hoofd. In Nederland zien zo'n tien miljoen televisiekijkers hoe Robben het publiek bedankt.

De regisseur van dienst blijft hangen bij de *steady-cam* vlak achter de rug van Bosvelt. Zo is diens rugnummer duidelijk te zien, net als die van de inmiddels achteruitlopende Robben: rechts 21 en links 19. Maar belangrijker is de gezichtsexpressie van Robben. De cameraman zwenkt iets meer zijn kant op, als de linksbuiten zich weer richting camera draait. De grootst mogelijke oorwurm verschijnt op zijn gezicht: vertwijfeling, onbegrip. Dan slaat hij met twee handen op de uitgestoken rechterhand van Bosvelt, die daarna het veld inrent.

Het is de 59ste minuut, de stand is nog steeds 2-1 voor Nederland en de Wissel is een voldongen feit. Terwijl Robben – 'goddomme,' zegt hij ook nog – hoofdschuddend richting de reservebank loopt, geeft Advocaat aan de zijlijn Seedorf instructies.

De volgende dag treffen de bondscoach en de linksbuiten elkaar weer op het trainingsveld. Het daar aanwezige publiek trakteert Robben en de rest van de spelersgroep op applaus. De verliezende coach Advocaat (3-2, na doelpunten van Milan Baroš en Vladimír Šmicer) wordt uitgefloten.

VI

'Dick Advocaat is gewogen en te licht bevonden. Als voorvechter van praktijkcoaches spijt me dat zeer, maar de bondscoach is het niveau van assistent-trainer nooit ontgroeid, hij mist het benodigde niveau.'

Johan Derksen, hoofdredacteur van *Voetbal International*, was na de eerste twee wedstrijden op het EK van 2004 in zijn analyse nog het mildst. Andere media oordeelden vele malen harder.

'Medelijden mag geen rol spelen in de beoordeling van een bondscoach. Hij heeft gefaald,' schreef Frans Lomans in *Sportweek*.

'Wisselen!' kopte het *AD* op de voorpagina boven een portret van Advocaat. En in zijn column citeerde de ook op de televisie kritische Hugo Borst een aan hem door voetballer Geert den Ouden verstuurde sms: 'Naar welk hotel kan ik mijn geweer sturen?'

Soortgelijke reacties waren ook veelvuldig te vinden op internet. De grappigste onder hen startten de website deslechtstewisselooit.nl met als doel 'Advocaat te laten weten dat héél Nederland dit echt niet meer kan geloven'. Na twee dagen hadden zo'n tweehonderdduizend mensen dit digitaal aan de bondscoach laten weten.

Toch kwam de zwaarste belediging voor Advocaat van oudvoetballer en televisiepersoonlijkheid Jan Mulder aan tafel bij *Villa BvD*. Of eigenlijk waren de redacteuren van het *NOS Achtuurjournaal* daarvoor verantwoordelijk. Op 23 juni, liefst dertien dagen nadat Mulder aan Hans Kraaij junior op een ironische en overtuigende manier liet zien dat de SBS 6-commentator niet goed wist waarover hij sprak, zond het *NOS-journaal* een verknipte versie van het gesprek uit. Daardoor leek het alsof Mulder, zonder ironie, pleitte voor 'ophangen', of nee eigenlijk 'stenigen'.

Een stortvloed aan reacties was het gevolg, waarbij zelfs minister-president Jan Peter Balkenende in zijn wekelijkse gesprek met de pers uitgebreid de tijd nam te reageren op het demoniseren van de bondscoach. 'Je moet oppassen,' zei hij. 'Je hebt maar één gek nodig die de daad bij het woord voegt.'

Toen Tom Kreling, journalist van NRC *Handelsblad*, alle overdreven mediareacties kundig analyseerde voor zijn krant, stond Nederland inmiddels in de halve finale van het EK, was de website deslechtstewisselooit.nl blijven steken op 215 000 reacties en werd die avond Arjen Robben, bij een achterstand van 2-1 tegen Portugal, zonder morren, in de 81ste minuut gewisseld voor Pierre van Hooijdonk.

14

Spin de mythe.
Of een pleidooi voor de voet van Casillas

11 juli 2010
Johannesburg, Zuid-Afrika, aanvang 20.30 uur
WK-finale in het Soccer City Stadium
Nederland – Spanje 0-1 (n.v.)

De kans waar iedereen op wachtte, was toeval noch geluk. Al direct aan het begin van de tweede helft van de WK-finale drong het Nederlands elftal zich meer op aan de tegenstander. Tweemaal, kort achter elkaar, werd gevaar gesticht: een kopbal van John Heitinga en een kopbal van Robin van Persie. Nederland kreeg meer greep op het spel van het Spaanse elftal. Dat vroeg om een beslissende actie, een actie van de twee toonaangevende spelers voor Nederland tijdens het toernooi, een actie waarmee zij hun specifieke kwaliteiten aan de hele wereld toonden.

11 juli 2010, Soccer City Stadion, Johannesburg.

Het is de 62ste minuut van de WK-finale als Wesley Sneijder in de middencirkel met zijn lichaam een stevig blok zet tegenover zijn tegenstander Sergio Busquets. Het geeft hem tijd de bal aan te nemen en in een vloeiende beweging een steekpass te geven op Arjen Robben, die volledig vrij met de bal richting de Spaanse doelman rent.

De linksbenige aanvaller dribbelt snel en gecontroleerd. Hij is rustig, loert op een opening en wacht op een reactie van Iker Casillas. De keeper duikt naar links, waardoor de rechterhoek – voor Robben de linker- – vrij komt. Robben ziet dit en lift de bal met de linkervoet in de vrije hoek.

Nederland-Spanje

De richting en snelheid lijken perfect. Tienden van seconden denkt de Nederlander – en met hem vele, vele, vele televisiekijkers over de hele wereld – dat dit schot een 1-0 voorsprong betekent. Dan schampt de bal heel licht de uitgestoken rechtervoet van Casillas. Het blijkt net voldoende de baan van de bal ingrijpend te veranderen.

Dat schampen was geluk, maar de verdedigende actie van de keeper – het lichaam altijd zo breed mogelijk maken – was zeker geen toeval.

Green Point Stadion, Kaapstad, vijf dagen eerder.

In de toegevoegde tijd van de halve finale heeft Uruguay 3-2 gescoord en is inmiddels weer in balbezit. Vanaf de eigen helft schiet keeper Fernando Muslera de bal richting het strafschopgebied van Nederland. De ingevallen spits Sebastian Abreu wint een kopduel van Joris Mathijsen waardoor de ook net ingevallen Sebastian Fernandez rond de strafschopstip de bal krijgt. Met de rug naar het doel controleert de Uruguayaan deze, blijft rustig en ziet rechts van hem – links van het Nederlandse doel dus – Mauricio Victorino geheel vrij staan. De pass lijkt precies op maat, maar met een krachtige sliding weet Dirk Kuijt de bal nog net voor de aanname weg te glijden.

Ook die verdedigende actie was toeval noch geluk.

Zeventien minuten eerder in hetzelfde stadion in Kaapstad.

Balbezit Nederland. Robben dribbelt aan de rechterkant van het veld richting twee tegenstanders. Op links staat Sneijder vrij en roept met beide handen in de lucht om de bal.

Tevergeefs, want Robben passeert eerst binnendoor de meeverdedigende spits Cavani en passt dan naar de op twintig meter van het doel vrijstaande Rafael van der Vaart. Met de rug naar het doel neemt hij de bal aan, draait het lichaam een halve slag en speelt Van Persie hard in. De spits neemt de bal op de rand van het strafschopgebied aan. Gedekt door twee tegenstanders passt hij weer naar de op links helemaal vrijstaande Kuijt.

Sneijder pakt deze pass vlak voor de voeten van Kuijt weg en legt de bal klaar om met zijn rechterbeen te schieten. Even lijkt het schot, dat onderweg nog het been van Maximiliano Pereira schampt, een pass op de inderdaad vragende Van Persie. Maar de bal glijdt langs diens rechterbeen en belandt met een lichte effectcurve via de binnenkant van de paal in de benedenhoek van het doel. Nederland leidt met 2-1.

Het schot was wat gelukkig, maar het doelpunt geen toeval.

Het Port Elizabeth Stadion in Port Elizabeth, nog weer vier dagen eerder.

'Allemaal even dankjewel zeggen tegen Maarten Stekelenburg.'

Zo klinkt het commentaar van televisieverslaggever Frank Snoeks bij de herhaling van de redding van de Nederlandse keeper op een gericht schot van de Braziliaan Kaka. Even eerder worstelde spits Robinho – maker van de 1-0 – zich langs enkele verdedigers, waarna zijn pass door Luis Fabiano met de hak achter zijn standbeen richting Kaka was gekaatst. Met een ver uitgestoken rechterhand sloeg Stekelenburg diens schot naast het doel. De herhaling toont nog beter de wil van de keeper om de richting van de kruising draaiende bal tegen te houden. De oproep tot een dankjewel is volkomen terecht.

Dergelijke dank paste ook bij de redding in de wedstrijd tegen Slovenië, toen spits Robert Vittek in de tweede helft bij een 1-0 voorsprong voor Nederland ineens vrij kon inschieten. De rechterhand van Stekelenburg voorkwam de gelijkmaker.

Voor beide verdedigende acties gold dat het geluk noch toeval was.

Hetzelfde stadion in Port Elizabeth, 2 juli 2010.

In de 53ste minuut van de kwartfinale tegen Brazilië maakt Bastos een overtreding op Robben. De snel genomen vrije trap aan de rechterkant van het veld belandt na een korte dribbel van Robben bij Sneijder die aan de zijlijn op zo'n dertig meter van het doel staat. Met een kort tikje legt hij de bal klaar voor zijn linkerbeen, waarna een indraaiende voorzet volgt. De bal is veel te hoog voor de opspringende Mathijsen, maar door een misverstand tussen verdediger Felipe Melo en keeper Julio Cesar belandt de bal via het hoofd van Melo in het doel. Nederland heeft gelijk gemaakt. Sneijder claimt het doelpunt, maar na enkele herhalingen meldt commentator Snoeks dat de FIFA het doelpunt toekent aan de Braziliaanse verdediger Juan.

Natuurlijk was deze gelijkmaker veel geluk, maar was het ook toeval? En was het doelpunt meer geluk dan het eerste van Nederland op dit WK: het eigen doelpunt van de Deense verdediger Daniel Agger waarbij hij een verkeerd geraakte kopbal van medespeler Christian Poulsen via de rug in zijn eigen doel deed belanden?

Het zijn vragen die passen bij deze wederom niet geheel willekeurige opsomming van spelmomenten tijdens het WK van 2010 in Zuid-Afrika. De gekozen momenten zijn stuk voor stuk belangrijk, en voor het uiteindelijke verloop van het toernooi zelfs allesbepalend. Dat geldt ook voor de kans in de finale, de kans waar iedereen op wachtte, de kans van Arjen Robben.

Had Casillas zijn rechtervoet immers nét iets lager uitgestoken, dan had Nederland een 1-0 voorsprong genomen. Met nog zo'n halfuur te spelen had dat zomaar tot de eerste wereldtitel voor Nederland kunnen leiden. Maar belangrijker – want voldongen – is dat Casillas zijn land met die redding de wereldtitel schonk.

Het klinkt hoogdravend, maar elk moment in het spel der momenten dat voetbal heet, is bepalend voor de afloop. Dat maakt een vlekkeloos optreden van scheidsrechters zo belangrijk. En dat maakt treuren en zeuren nadat iets is gebeurd ook zo zinloos.

Elke voetbalwedstrijd legt een patroon van voldongen feiten vast. Bij de eventuele beoordeling van geluk of toeval lijkt juist deze voldongenheid der dingen een belangrijke rol te spelen.

I

'Beasts 0 – Beauty 1' (*Daily Mail*)

'Spanien triumphiert über Oranje-Treter.' (Oostenrijkse *Kurier*)

'Dutch disgraced the World Cup' (*The Sun*)

'Dutch betray "Total Football" with cynical defeat.' (Amerikaanse website *Bleacher Report*)

'Holland was the most destructive team I have ever watched in the last five world cups.' (Analyse op de aan *The New York Times* verbonden voetbalblog *Goa*')

Terwijl de gemeente Amsterdam druk bezig was met de voorbereidingen voor de rondvaartboottocht en de aansluitende huldiging op het Museumplein van de verliezend finalist, velden de internationale media hun oordeel over de WK-finale. Net als gedurende het toernooi waren de meeste analyses in gerenommeerde kranten redelijk genuanceerd. Er was vooral kritiek op het vertoonde spel van beide finalisten.

Zo schreef *The Guardian*: 'Verdedigen is net zo goed een onderdeel van het spel als doelpunten maken, maar als er ooit een finale was die antivoetbal propageerde, dan was het deze wel.' Spanje werd wel als de juiste winnaar gezien, ook vanwege de veelvuldig gehekelde afwachtende tactiek van Nederland. Maar uiteindelijk was de finale tussen juist deze twee voetballanden met hun historie van aanvallend voetbal een goede ontwikkeling.

'Nederland en Spanje als de terechte finalisten, die zich beide goed aanpasten aan de omstandigheden,' schreef *The New York Times*. En volgens het Spaanse *El País* was 'Nederland de meest waardige runner-up.'

Ondanks alle nuance deden krantenkoppen en theatraal televisiecommentaar – BBC-analyticus Alan Hansen sprak verontwaardigd over 'totaalgeweld' in plaats van 'totaalvoetbal' – zo'n beetje iedereen geloven dat het Nederlands elftal zich gedurende de finale schandelijk had misdragen.

Het enige doel was het neerschoppen van de tegenstander.

In de gehele geschiedenis van WK-finales waren nog nooit zóveel gele kaarten – negen, waaronder twee voor de uit het veld gestuurde Heitinga – aan een ploeg uitgedeeld. En die trap van Nigel de Jong op de borst van Xabi Alonso had in het geheel niet misstaan in een vechtfilm.

'Kung-fu Frightening,' kopte het Engelse *The Sun* met een grote foto van het betreffende wedstrijdmoment op de voorpagina. Het islamitische *Arab News* ging nog een stap verder. 'Het beeld van Nigel de Jongs tackle met zijn schoen op de borst van Xabi Alonso vat het WK 2010 samen: ruw, hard, cynisch, winnen-ten-koste-van-alles-mentaliteit, geen respect voor het spel en de tegenstander.'

Maar uiteindelijk stond de meest fundamentele kritiek op het

Nederlands elftal in de Catalaanse krant *El Periodico.* In het kritische verhaal kwam Johan Cruijff terug op een vraag die hij enkele dagen eerder nog ontkennend had beantwoord. Dat Nederland tegen Spanje precies zo zou spelen, zoals Inter Milan met Wesley Sneijder dat jaar voor de Champions League had gespeeld tegen Barcelona, leek hem onmogelijk. En toch was het gebeurd.

'Het doet me pijn dat ik ongelijk had met mijn weerwoord en dat Holland het lelijke pad koos om de wereldtitel te behalen. Deze lelijke, vulgaire, harde, hermetische, nauwelijks bezienswaardige voetbalstijl hielp de Nederlanders bij het ontregelen van de Spanjaarden. Als ze hier voldoening uit haalden, dan is het prima. Maar uiteindelijk verloren ze toch. Ze speelden antivoetbal.'

Veel van de internationale kritieken waren terug te lezen in de Nederlandse kranten. Dat was een traditie, die nog verder terugging dan de Lessen van Darlington in 1907. Ook bij de WK-finale van 2010 vormden ze een perfecte aanvulling op de veelal afgewogen Nederlandse verhalen.

Duiding, historische context, feitelijke weergaven van de belangrijkste momenten van de finale en hier en daar kritische beschouwingen over het te weinig sprankelende spel onderschreven de genuanceerde Nederlandse verslaggeving gedurende het gehele toernooi. Toch overheerste vrij snel na de finale het idee dat alle Nederlandse kranten vonden dat het Nederlands elftal met het harde spel de goede internationale naam had verkwanseld.

II

'Ik vind het ook wel een beetje Nederlands en jammer dat daar dan de nadruk op wordt gelegd.' Mark van Bommel sprak in augustus 2010, na afloop van zijn eerste trainingsdag bij zijn club Bayern München, voor de camera's van het NOS *Sportjournaal* over de kritiek op het optreden van het Nederlands elftal tijdens het WK. Van

Engelse media kon hij dat wel begrijpen, maar dat ook in Nederland de nadruk werd gelegd op het harde spel, begreep hij niet.

Er waren inderdaad twee momenten die niet mooi waren: zijn eigen tackle op Iniesta en het hoog geheven been van De Jong. Maar ook Spanje had volgens de middenvelder hard spel zeker niet geschuwd. In de analyses achteraf miste hij waardering voor de door Nederland geleverde prestatie. De ongeslagen status tijdens de kwalificatie was soms gepaard gegaan met initiatiefrijk voetbal van het hoogste niveau. Verder was Nederland de enige ploeg op het WK geweest 'die Spanje redelijk onder controle had'. 'We waren misschien niet de betere, maar we hadden wel de grootste kans.'

Van Bommel vond de nadruk op de twee keiharde overtredingen van Nederland in de finale niet in overeenstemming met de geleverde prestaties. In de langere versie op de website van de NOS kreeg hij van verslaggever Kees Jongkind enige bijval.

Jongkind: 'Die teen van Casillas houdt je eigenlijk van de wereldtitel af. Want die kans van Robben was natuurlijk honderd procent?'

Van Bommel: 'Maar nou bekijk je het heel anders. Zo dicht waren we erbij. En als je zegt het was heel negatief, heel hard: dat is een heel andere inslag. En je hebt gelijk. Als die bal er gewoon ingaat. Dan zijn wij wereldkampioen.'

Nakaarten en analyseren horen bij voetbal zoals hoor- en wederhoor bij journalistiek. Kees Jongkind deed dus gewoon zijn werk. Toch had Van Bommel wel een punt met zijn wat kribbige reactie. Waarom zoveel aandacht voor de karatetrap van De Jong en niet voor de grootste kans van de wedstrijd?

Cultuurfilosofen zullen direct wijzen op het belang van beeldcultuur. Toets op YouTube de woorden 'Nigel' en 'Karate' in en de gecomprimeerde filmpjes van die actie in de 28ste minuut van de WK-finale 2010 in Johannesburg stromen je inderdaad tegemoet.

Een andere reden is de eerder genoemde 'voldongenheid der dingen'. Had Robben gescoord, dan was de meeste aandacht naar dit beslissende moment gegaan.

Tenslotte hebben de schijnwerpers op de trap van De Jong ook te maken met het proces van mythevorming: in dit specifieke geval de mythe van het Nederlandse voetbalelftal gedurende het WK 1974.

In vrijwel alle kritieken – in nationale en internationale media – werd een vergelijking gemaakt met het Nederlands elftal van het WK in West-Duitsland. Het Engelse 'Half Decent Football Magazine' *When Saturday Comes* beschreef dit treffend: 'We hebben meer gehoord van het Nederlandse team van 1974 dan in 1974 zelf.'

Het was de Nederlandse bondscoach Bert van Marwijk die tijdens de persconferentie voor de eerste interland na het WK, de vriendschappelijke wedstrijd tegen Oekraïne, er een passende verklaring voor had: 'Hoe langer geleden, hoe mooier het lijkt.'

III

'Heb jij dat nou ook niet, Jan,' vroegen we na afloop van de film in de foyer van het theater.

'Wat, jongens?'

'Dat je hoopt dat je die penalty nog eens zal stoppen, als je naar je video zit te kijken, of hier naar die film?'

Zwijgend keek de keeper ons even aan. 'Dat ken toch niet, jongens?' zei hij vriendelijk.

'Ik zat voortdurend te bidden dat het 3-2 mocht worden,' zei ik.

Jans gezicht vertoonde sporen van ongeloof. Had hij met een stelletje krankzinnigen van doen?

'Jullie zijn geen realisten, jongens, dat hoor ik al', en hoofdschuddend liep hij weg.

Deze dialoog tussen Nederlandse journalisten en de keeper van het Nederlands elftal Jan Jongbloed werd in februari 1975 door

Henk Spaan, toenmalig columnist van de *Haagse Post*, opgetekend na afloop van de première van de film *Oranjes jacht op wereldgoud* in het Amsterdamse City Theater. Spaan schreef over zijn aanwezigheid te midden van genodigden als het echtpaar Michels, zakenmannen Maup Caransa en Jack van Zanten en voetballers Barry Hulshoff en Jan Jongbloed. En dat hij 'een stevige hoofdpijn' had gekregen van 'het anderhalf uur durende publiekgejuich dat achter de film zat gemonteerd'.

Ook schreef Spaan over de teleurstellende beelden vol 'obligate shots van worstetende en bierdrinkende supporters die al bekend waren van het Polygoon-journaal na iedere Europacupwedstrijd'. Slechts één scène kon hem bekoren. Ook omdat hij deze nooit eerder had gezien.

'Tijdens Nederland – Brazilië zie je Johnny Rep naast een Braziliaan lopen en hij kijkt om zich heen met in zijn ogen al de blik van iemand die kattekwaad gaat uithalen. De kust is veilig, zie je hem denken en dan haalt hij flitsend uit voor een keiharde elleboogstoot op het jukbeen van de Braziliaan. Een genoegdoening gevend tafereel dat aanleiding is tot gejuich in de zaal.'

Naast de scène met de elleboog van Rep had ook het halfuur durende verslag van de finale voor Spaan een louterende werking. Schreef hij daags na de verloren WK-finale van 1974 nog over de teleurstelling: 'Nederland heeft het mooiste voetbal van het toernooi gespeeld en zal evenals Hongarije in 1954 de geschiedenis ingaan als de morele winnaar', een halfjaar later beschreef de columnist 'een passende afsluiting van een periode'. 'De film had een einde gemaakt aan alle gevoel van onvoldaanheid over het wereldkampioenschap. Duitsland was, voor eigen publiek, de vanaf het begin onontkoombare winnaar. Zelfs het Nederlandse voetbal bezat te weinig klasse om het noodlot te verslaan.'

De column van Spaan had een bijpassende kop: 'Oranje verloor in München toch terecht van Duitsland.'

1975, en het was al duidelijk dat het Nederlands elftal de finale terecht had verloren van West-Duitsland? Maar dat besef kwam er toch pas in 2004 met de verschijning van het boek *1974. Wij waren de besten* door schrijver en journalist Auke Kok?

De reden van deze herontdekking van een al eerder verkregen inzicht is natuurlijk dat in de tussenliggende periode behoorlijk sprake was van mythevorming. Dat ook het totaalvoetbal van 1974 bedoeld was om te winnen, paste daar kennelijk niet zo goed bij. Net zo min als de constatering dat hard spel niet werd geschuwd. En in sommige gevallen zelfs gepropageerd.

Ondanks die prachtige tweedeling van Cruijff na afloop van de 0-0 wedstrijd tegen Zweden was het doel in 1974 echt niet om jaren later herinnerd te worden om het oogstrelende spel. Het doel was de wereldcup veroveren. Pas toen dat mislukte, bracht de mythevorming alsnog een morele overwinning.

IV

Het was de dag erna. De WK-finale 2010 was minder dan vierentwintig uur oud toen een Nederlandse jongen van tien jaar vertelde over zijn voorliefde voor Wesley Sneijder. Hij zei hem een goede voetballer te vinden: zo klein en toch zo sterk. En ook was de jongen diep onder de indruk van hoe hard Sneijder kon schieten.

'Tegen Brazilië schoot hij van echt ver en toch was het raak,' zei de jongen. 'Vanaf zeker dertig meter scoorde hij met een keiharde pegel.'

Het optreden van Sneijder zou deze jongen voor altijd bijblijven. Jongensromantiek was jongensromantiek. Maar wie de beelden nog eens goed bekeek, zag dat het niet echt de bedoeling was van Sneijder om direct op het doel te schieten. Waarom de FIFA het doelpunt uiteindelijk toch aan de Nederlander toekende was daarom wat raadselachtig. Wellicht was het criterium dat de bal ook zonder het aanraken met het hoofd door de Braziliaan Melo in het doel was beland.

Maar de uiteindelijke ontrafeling van dat raadsel was van ondergeschikt belang. Het punt dat de blik van de tienjarige jongen duidelijk maakte was dat het grootser ervaren van de werkelijkheid een belangrijk onderdeel van voetbal was, en is.

De mythe en het voetbal vormen zo gezegd een vruchtbaar koppel. Of in de woorden van Van Marwijk: 'Hoe langer geleden, hoe mooier het lijkt.'

V

Het was in de dagen vóór de halve finale op het WK 2010 tussen Uruguay en Nederland dat de vader van de beste speler op dat toernooi de wereld een diepe en onomstotelijke waarheid schonk.

'Geen beker is makkelijker te winnen dan de wereldbeker,' zei Pablo Forlán. En hij keek erbij alsof iedereen dat al heel lang wist.

Toen de journalist van de Spaanse krant *El País* hem toch met grote ogen aankeek wilde de voormalige international van Uruguay, actief op het WK van 1966 en van 1974, er wel dieper op ingaan. Natuurlijk was er eerst de kwalificatiereeks. Maar eenmaal geplaatst voor het eindtoernooi ontkwam je niet aan de door hem ontvouwde theorie.

'Veel landen gaan niet naar het WK toe met het idee dat ze kunnen winnen,' zei vader Forlán. 'Maar na zeven wedstrijden kun je met de beker in je handen staan! Vergelijk dat eens met de Primera División. Dat is een competitie over achtendertig wedstrijden.'

Het was een bondige en overtuigend geformuleerde theorie. En iedereen die ooit serieus een toernooi speelde herkende deze woorden direct. Natuurlijk was het zo eenvoudig: ook het WK is een toernooi in de zomer. Je kon het woord 'maar' toevoegen – het WK is maar een toernooi in de zomer – maar dat was weer een overdreven geringschatting van de te leveren prestaties. Het punt dat papa Forlán voor de hele wereld duidelijk wenste te maken was dat een toernooi altijd weer verliep volgens de wetten van het toernooivoetbal.

Daarbij waren zaken als gunstige loting, geen verlies in het openingsduel en enig geluk van cruciaal belang, hoewel ook weer niet doorslaggevend. Wel allesbepalend was de wetenschap dat in een toernooi er niet van iedere ploeg gewonnen hoeft te worden om als toernooiwinnaar te worden gekroond.

'Geloof me jongen,' zei vader Pablo tegen zoon Diego vlak voor diens vertrek richting Zuid-Afrika. 'Geen beker is makkelijker te winnen dan de wereldbeker.'

VI

11 juli 2010, Soccer City Stadion, Johannesburg.

Het is de 58ste minuut van de WK-finale als Robben een vrije trap neemt. De bal draait hoog richting de tweede paal naar de aanstormende Heitinga. Net voordat hij wil koppen trekt Sergio Ramos de Nederlandse verdediger met zijn hele lichaam naar de grond. Heitinga raakt de bal op slechts twee meter van het Spaanse doel nog wel, maar de kopbal mist door het trekken van Ramos de juiste richting. De Engelse scheidsrechter fluit voor buitenspel.

Als de grensrechter niet voor buitenspel had gevlagd, had Nederland mogelijk een strafschop gekregen en Ramos een tweede gele kaart. Dat Heitinga niet buitenspel stond doet er niet toe. De beslissingen van de grens- en scheidsrechter bepaalden de loop der dingen. En dat had niets te maken met geluk of toeval.

Voor de mythevorming van het WK 2010 was het fijn geweest als dit moment breed was uitgemeten in alle media. Ze waren er wederom in geslaagd een complot bloot te leggen. Ramos als een Spaanse dief in de nacht. Scheidsrechter Howard Webb als zijn handlanger. Met als ultieme bekroning van hun een-tweetje: de uiteindelijke rode kaart voor Heitinga in de verlenging.

Maar dat gebeurde begrijpelijkerwijs niet. Het moment van De

Jong versus Xabi Alonso was als iconisch beeld veel geschikter. Maar gek genoeg kon dat laatste ook worden gezegd over de kans van Robben.

Van Bommel wees daar al op in 2010. En hij kreeg daar met het verstrijken van de tijd ook steeds meer gelijk in.

Waren het de veelvuldiger herhalingen van de kans van Robben die ervoor zorgden dat vier jaar na het WK de teen van Casillas iconischer was dan de karatetrap van De Jong?

Was het wellicht de soms zo poëtische synchroniciteit van voetbalmomenten – Robben in WK finale 2010 én Robben in de Champions League-finale 2013 – die hiervoor had gezorgd?

Of lag de oorzaak nog dieper en was terugkijken naar een traumatische gebeurtenis beter te verkroppen als je wist dat de essentie van de handeling iets van creatie in zich heeft? En gold dan voor mythevorming dat doelpunten maken (Robben) boven het tegenhouden van een tegenstander (De Jong) ging?

Het zijn interessante vragen betreffende de mythevorming van het WK 2010, een proces dat ook vier jaar later nog niet is afgerond. De Trap van De Jong of de Teen van Casillas: dat is de vraag. Of in de woorden van Van Bommel: 'We waren misschien niet de betere, maar we hadden wel de grootste kans.'

Wanneer dit proces is voltooid, is lastig te bepalen. Mythes volgen zo hun eigen regels.

Gebeurtenissen in de media bepalen slechts één deel. Van belang is de voortdurende herhaling van verhalen in het dagelijks leven. Datgene waar mythes van zijn gemaakt, wordt herkauwd op campings, in eethuizen, op vliegvelden. Mythevorming is een zaak van buitenlandse taxichauffeurs en marktkooplui, maar zeker ook van huisvrouwen en keukenmeiden. ('De Wondertent van VUC, meneer. De Wondertent van VUC.')

En daar ligt een schone taak voor de inmiddels bijna zeventien miljoen bondscoaches van Nederland. Natuurlijk begrijpen velen van hen dat wereldkampioen worden feitelijk betekent: het succesvolst presteren tijdens een toernooi in de zomer genaamd het

WK voetbal. Ook is nog steeds wel duidelijk dat Nederland veel geluk had met het behalen van de finale in 2010, maar dat het tegelijkertijd geen toeval was.

Als die bal van Sneijder er niet via-via in was gegaan en Brazilië had toch gewonnen, dan was dat toernooi echt heel anders verlopen. Maar ja, van dat soort zaken zijn er zo ontzettend veel aan te geven.

De niet-gegeven vrije trap tegen de Uruguayaanse rechtsbinnen en reuzenschooier Héctor Scarone in de halve finale tussen Nederland en Uruguay op de Olympische Spelen van 1924.

De wel gegeven strafschop aan Uruguay door de Franse scheidsrechter Georges Vallat in dezelfde minuut van dezelfde Olympische halve finale van 1924.

De duikkopbal van Beb Bakhuys in 1934.

De twee open schietkansen van Piet Keizer in het EK-kwalificatieduel tegen Luxemburg op 30 oktober 1963.

Het doelpunt van de Bulgaar Boskov in die beslissende kwalificatiewedstrijd voor het WK 1970 tussen Nederland en Bulgarije.

De kans van Rob Rensenbrink in de laatste minuut van de eerste helft van de WK-finale van 1978.

John Bosman en zijn kopkans in de openingswedstrijd van het EK 1988.

De niet-gegeven strafschop aan Pierre van Hooijdonk in de halve finale van het WK van 1998.

Het schot van Dennis Bergkamp op de paal in de halve finale van het EK 2000 tegen Italië.

De sliding van Kuijt op de bal in de halve finale tegen Uruguay op het WK van 2010.

Voor al die gevallen geldt, net als voor zo'n paar duizend andere acties in de kwartfinale tegen Brazilië in 2010: 'als is verbrande turf'.

De voorzet van Sneijder betekende de gelijkmaker. En die voldongenheid – gepaard aan beelden van grote doelkansen in de tweede helft voor Nederland – maakte de verdere opmars van het

Nederlands elftal tot iets wat geen toeval meer was. Daarvoor heeft het behalen van een WK-finale te veel van die voldongenheid in zich.

En dat Robben in de finale uiteindelijk een grote kans zou krijgen uit een voorzet van Sneijder lag in die lijn der verwachtingen. Zelfs van iedereen die het Spaanse elftal zo'n geweldig mooi spelend team vond.

Dat is een duidelijke en realistische analyse, maar van realisme trekt mythevorming zich doorgaans niet veel aan. Om een met de realiteit overeenkomende mythe te verkrijgen is andere taal nodig. Taal die een geheel eigen verhaal vertelt. Taal die de mythe de juiste kant opduwt.

Dus begint iemand in het buitenland over 'Dutch Disgrace' en 'Karatekid De Jong', knik dan vriendelijk en leg uit dat ook tijdens het WK 2010 de Nederlanders voetbalden zoals Nederlanders altijd voetballen: overtuigd van zichzelf en niet te beroerd om te incasseren en om uit te delen.

Zo speelden wij immers al tijdens de 12-2 nederlaag tegen de Engelse amateurs in 1907.

VII

Het gebeurde in 2006. De Duitse hoogleraar trainings- en computerwetenschappen Martin Lames publiceerde het artikel 'Glücksspiel Fußball – Zufallseinflüsse beim Zustandekommen von Toren'. De verhandeling betrof de weerslag van een succesvolle zoektocht naar de oorsprong van het doelpunt op het voetbalveld.

Tezamen met een team van andere knappe koppen bekeek de hoogleraar videobeelden van ruim vijfentwintighonderd gescoorde doelpunten. Natuurlijk was dat slechts een fractie van alle ooit gescoorde goals, maar de wetten van de statistiek maakten dat dit aantal als representatief kon worden gezien voor het doelpunt in het algemeen.

Tijdens de bestudering probeerden Lames en de anderen in

hoeveel gevallen er sprake was van een geluksdoelpunt. Daarbij definieerden zij een zestal strenge voorwaarden van zo'n geluksdoelpunt:

1. De bal ketst af.
2. Het doelpunt werd gescoord na een counter.
3. De bal kwam eerst tegen paal of lat voordat hij in het doel verdween.
4. De keeper raakte de bal en had deze eigenlijk ook kunnen stoppen.
5. Het doelpunt werd van grote afstand gescoord.
6. De bal kwam ondanks een beroerde pass toch bij een aanvaller terecht.

Werden deze voorwaarden geaccepteerd als geluksfactoren, dan bleek dat er bij bijna vijftig procent van alle doelpunten sprake was van een zichtbaar en meetbaar element van geluk.

Ook bleek uit dit onderzoek dat zo'n geluksdoelpunt vooral totstandkwam bij een 0-0 stand. 'In zo'n situatie spelen elftallen nog altijd volgens hun eigen tactiek,' schreef Lames. 'Er is een toevalsmoment nodig om te kunnen scoren.'

VIII

11 juli 2010, Soccer City Stadion, Johannesburg.

Het is de 62ste minuut van de WK-finale als de kans waar iedereen op wachtte zich openbaart. Sneijder zet een blok tegenover tegenstander Busquets, neemt de bal aan en bereikt met een steekpass Robben, die volledig vrij richting de Spaanse doelman rent.

De linksbenige aanvaller dribbelt snel en gecontroleerd. Hij is rustig, loert op een opening en wacht op een reactie van Casillas. De keeper duikt naar links, waardoor de rechterhoek – voor ons de linker- – vrij komt. Robben ziet dit en lift de bal met de linkervoet in de vrije hoek...

Verantwoording

Het is de vroege herfst van 2010 als Maarten Boers in zijn kamer op de hoogste verdieping van de toenmalige uitgeverij Amstel Sport aan de Amsterdamse Herengracht het boek *The Anatomy of England* van de Engelse schrijver Jonathan Wilson toont en vraagt wie een Nederlandse variant van dit boek kan maken. Hij geeft het aan mij en ik lees de ondertitel *A history in ten matches*. Het blijkt een alternatieve geschiedenis van het Engelse voetbal te zijn verteld aan de hand van tien historische wedstrijden van het Engelse elftal.

'En?' vraagt Maarten.

'Ik,' zeg ik.

En de rest is geschiedenis, en inmiddels dit boek in uw hand.

Dankwoord

Dit boek is grotendeels geschreven onder het genot van filterkoffie, chocoladecroissants en appels. Zonder dit illustere drietal was het niet gelukt. Dat geldt ook voor de schrijfplek, kamer 2.71 in het voormalige Volkskrant Gebouw in Amsterdam. De ruimte is groot genoeg voor de tafel van mijn vader. Straks na de verbouwing tot Volkshotel is het vast ook overdag rustig en kan ik door een helder raam naar buiten kijken. Gelukkig waren er altijd verdiepingsgenoten die het de normaalste zaak van de wereld vonden als ik zomaar even langs kwam in hun studio en met een bal aan mijn voet een praatje kwam maken.

Veel dank gaat verder uit naar de volgende onmisbare personen in het maakproces:

De oud-voetballers die ruim de tijd namen om tezamen met mij naar een wedstrijd uit hun verleden te kijken. De Nederlanders John Bosman en Arthur Numan en de Luxemburger Camille Dimmer.

De oud-voetballers die mijn vragen over wedstrijden uit hun verleden beantwoordden. Ton Pronk, Jan Olsson, Bud Brocken, Gerald Vanenburg, Ben Wijnstekers en Marco van Basten.

Michel Valke en Yori Bosschaart van Feyenoord die rustig naar mijn theorie luisterden, vervolgens uitlegden wat videoanalyse bij hun club precies betekent en ook precies duidelijk konden maken waarom beelden van zichzelf voetballers beter maken.

Alle schrijvers van boeken en krantenartikelen die het mogelijk maakten de gekozen wedstrijden te reconstrueren.

Ad Nuis voor zijn geduld en gulle lach als ik hem vertelde dat het boek bijna af was.

Heel erg veel dank gaat uit naar twee onmisbare personen in het schrijfproces:

Maarten Boers, inmiddels redacteur bij een andere uitgever, maar nog steeds de persoon van het oorspronkelijke idee. En vervolgens bijna twee jaar lang een enthousiast volger van mijn invulling van het door hem aangedragen Engelse voorbeeld. Dat ik met het boek aan de haal ging en er een eigen draai aan gaf werd door jou te allen tijde toegejuicht. Dank je.

Bertram Mourits, de inspirerende redacteur van Atlas Contact. Vanaf ons eerste gesprek was direct duidelijk dat jij precies begreep wat ik met het boek wilde. Dat was dus voordat ik het zelf helemaal begreep. Als vorm voor 95 procent bestaat uit zelfvertrouwen, zoals Frank de Boer ooit verkondigde, dan is mijn schrijfvorm grotendeels te danken aan jou. Altijd enthousiast, maar zonder je kritische blik te verliezen. De weinige aanpassingen die jij voorstelde waren altijd een verbetering. Zodoende keek je elke dag mee over mijn schouder: bijna zeventig 'twaalf uur-mails' lang. Dank daarvoor. En voor dat fijne mailtje helemaal aan het begin: 'Ik heb echt zin in dit boek.'

De meeste dank, waanzinnig veel liefde en zachte kussen zijn er uiteindelijk voor Sara Stork, mijn lieve vriendin en de moeder van onze zoon Titus. Terwijl ik uren maakte achter mijn computer in ruimte 2.71 – 'Op kan-tor,' zou Titus zeggen – leerde jij onze zoon alles wat belangrijk is in het leven. Knuffelen, Gro-te Boek, lekker eten, samenzijn, nog meer knuffelen en de tijd nemen om elkaar recht in de ogen te kijken.

Sara, mijn grote liefde, zonder jou was dit boek er nooit geweest. Dat wordt vaker beweerd in een dankwoord, maar in dit geval is het zo ongelofelijk waar. Maandenlang was je tegelijkertijd de liefste en de beste moeder én de liefste en de beste vader voor Titus. De liefde en de dank die ik daarvoor voel is onmeetbaar groot. Om toch een poging te wagen: zo ongeveer zeventig triljoen keer het gevoel dat je krijgt als Titus 'valluh' of 'mammie doen' zegt. Sara, ik hou zoveel van je.

Literatuur

Anderson, Chris & David Sally: *Corners moet je kort nemen. De statistieken bewijzen het.* Uitgeverij Spectrum, Houten, 2013.

Adriani Engels, M.J.: *Honderd jaar sport.* Uitgeverij A.J.G. Strengholt, Amsterdam, 1960.

Adriani Engels, M.J.: *Voetbalprestaties in Oranjeshirt.* Uitgeverij J.J. Kuurstra, Amsterdam, 1959.

Barend, Frits & Henk van Dorp: *2 x 45 minuten.* Uitgeverij Thomas Rap, Amsterdam, 1978.

Bergh, Joris van den: *Te midden der kampioenen.* Uitgeverij De Maandagmorgen, Den Bosch, 1938.

Bergh, Joris van den: *Er deugt iets niet in het Nederlandsche Voetbal.* Uitgeverij Dico, Amsterdam, 1943.

Boer, Sytze de: *Johan Cruijff – Uitspraken.* Uitgeverij Cruijff Bibliotheek, 2011.

Bongers, Michel & René Bremer: *Kapitein van Oranje. De memoires van Jan Zwartkruis als bondscoach van het Nederlands Elftal.* Uitgeverij Belluci, 2008.

Boogaard, Arthur van den (red.): *Halve finale EK'88. West Duitsland – Nederland.* Uitgeverij Carrera, Amsterdam, 2008.

Boogaard, Arthur van den: *Sport. De 142 beste Nederlandse en Vlaamse sportverhalen van 1880 tot nu.* Uitgeverij Nieuw Amsterdam, Amsterdam, 2013.

Borges, Jorge Luis & Adolfo Bioy Casares: *Kronieken van Bustos Domecq.* Uitgeverij Meulenhoff, Amsterdam, 1971.

Borst, Hugo: 'De Europese vooruitzichten van Valery Lobanovski',

in *Voetbal International* 4 juni 1988.
Borst, Hugo: 'Voetbal in de Sovjet-Unie', in *Voetbal International* 11 juni 1988.
Borst, Hugo: *O, Louis*. Uitgeverij Voetbal International, 2014
Bouwman, Raymond: *Mister Ajax. De eeuwige jeugd van Sjaak Swart*. Uitgeverij Vipboeken, Bruna, Utrecht, 2009.
Bray, Ken: *De kunst van het scoren. De verborgen regels van het voetbal*. Uitgeverij Thomas Rap, Amsterdam, 2006.
Brouwer, Erik & Rop Zoutberg: *In den beginne was de bal. Verhalen over het Argentijnse voetbal*. Uitgeverij L.J. Veen, Amsterdam, 2006.
Colin, François & Lex Muller: *Geschiedenis van de Wereldbeker Voetbal*. Standaard Uitgeverij, Antwerpen, 1998.
Cottaar, Jan & Elek Schwartz: *Voetbal. Van kruk tot crack*. Uitgeverij Nijgh & Van Ditmar, Den Haag, 1955.
Couwenhoven, Ron: *Vijftig jaar te midden der kampioenen. Leven en werken van Joris van den Bergh*. Uitgeverij De Buitenspelers, 2010.
Crouch, Terry & James Corbett: *The World Cup. The Complete History*. Aurum Press , Londen, 2010.
Derksen, Guido: *De gebroeders René en Willy van de Kerkhof. Een dubbele voetbalgeschiedenis*. Uitgeverij L. J. Veen, Amsterdam, 2004.
Doevendans, Ruud: *Klem! Jan van Beveren, vlinder in de zestien*. Uitgeverij Parata, Duiven, 2007.
Duren, Iwan van & Marcel Rözer: *Voetbal in een vuile oorlog. WK Argentinië 1978*. Uitgeverij De Buitenspelers, Rotterdam, 2008.
Duyzings, Martin W.: *Faas Wilkes. Een voetbalcarrière*. Uitgeverij De Boekerij, Baarn, 1952.
Eijk, Piet van der: *Bertus de Harder. Het levensverhaal van de Goddelijke Kale*. Uitgeverij Thomas Rap, Amsterdam, 1994.
Emmenes, Ad van: *Neerlands Voetbalglorie*. Omega Boek, Amsterdam, 1980.
Faber, Johan: *Het mysterie Marco*. Uitgeverij Thomas Rap, Amsterdam, 2004.
Galan, Menno de: *De trots van de wereld. Michels, Cruijff en het Gouden Ajax van 1964-1974*. Uitgeverij Bert Bakker, Amsterdam, 2006.

Galeano, Eduardo: *Glorie en Tragiek van het voetbal.* (Nederlandse vertaling van *El fútbol a sol y sombra*). Uitgeverij Van Gennep, Amsterdam, 1995.

Glanville, Brian: *The Story of the World Cup.* Faber & Faber, Londen, 2002.

Goldblatt, David: *The Ball is Round. A Global History of Football.* Penguin Books, Londen, 2006.

Guidi, Mark: *Oranje and Blue. The Arthur Numan Story.* Black & White Publishing, Glasgow, 2006.

Haar, Jaap ter: *Boem. Johan en Danny Cruijff.* Uitgeverij De Gooische, Bussum, 1975.

Herwaarden, Zeger van: *Het Oranje WK-boek.* Uitgeverij Het Sporthuis, Amsterdam, 2010.

Herwaarden, Zeger van: *Voetbalkampioenen van Europa. De WK-historie van 1960 – 2008.* Uitgeverij Het Sporthuis, Amsterdam, 2008.

Hiddema, Bert: *Cruijff! Van Jopie tot Johan.* Uitgeverij L.J. Veen, Amsterdam, 2006.

Hiddema, Bert: *El Cruijff!* Uitgeverij Pandora, Amsterdam, 2002.

Jansma, Kees: *Waarom Oranje niet won.* Uitgeverij DCM Pers, Neerpelt, 1990.

Jansma, Kees: *Kees.* Uitgeverij De Buitenspelers, Rotterdam, 2011.

Jungmann, Bart (red.): *De sportcanon. De sportgeschiedenis van Nederland.* Uitgeverij Thomas Rap, Amsterdam, 2011.

Kaaij, Meindert van der: *Een vuile oorlog. WK 78 – De nabeschouwing.* Uitgeverij Kwadraat, Utrecht, 1998.

Kok, Auke: *1974. Wij waren de besten.* Uitgeverij Thomas Rap, Amsterdam, 2004.

Kok, Auke: 1988. *Wij hielden van Oranje.* Uitgeverij Thomas Rap, Amsterdam, 2008.

Kolfschooten, Frank van: *De bal is niet rond. Verrassende feiten over voetbal.* L. J. Veen Sportboekerij, Amsterdam, 1998.

Kolfschooten, Frank van: *De Dordtse Magiër. De val van volksheld Karel Lotsy.* Uitgeverij Nieuw Amsterdam, Amsterdam, 2009.

Kuper, Simon: *Football against the Enemy.* Phoenix, Londen, 1999.

Kuper, Simon & Stefan Szymanski: *Dure spitsen scoren niet.* Uitgeverij Nieuw Amsterdam, Amsterdam, 2009.

Lanfranchi, Pierre & Matthew Taylor: *Moving with the ball. The Migration of professional footballers.* Berg, Oxford, 2001.

Liber, Jan: *Het voetballeven van Faas Wilkes.* Uitgeverij Arbeiderspers, Amsterdam, 1962.

Liebling, A. J.: *The Sweet Science.* Penguin Books, New York, 1982.

Liempt, Paul van: *Een goed stel. Voetbalcommentatoren aan het woord.* Uitgeverij Nijgh & Van Ditmar, Amsterdam, 2005.

McPhee, John: *Levels of the Game.* Farrar, Straus and Giroux, New York, 1969.

Michels, Rinus: *Teambuilding als route naar succes.* Uitgeverij Eisma, Leeuwarden, 2000.

Moskowitz, Tobias J. & L. Jon Wertheim: *Scorecasting. The hidden influences behind how sports are played and games are won.* Three Rivers Press, New York, 2011.

Muller, Salo: *Mijn Ajax. Openhartige memoires van de talisman van Ajax in de gouden jaren '60 en '70.* Uitgeverij Houtekiet, Amsterdam, 2006.

Neck, Martin van: *De Oranje Rapporten.* Uitgeverij 521, Amsterdam, 2004.

Neck, Martin van: *Een kleine geschiedenis van het voetballen.* Uitgeverij Atlas, Amsterdam, 2009.

Nieuwenhof, Frans van den: *Onze Willy. Voor altijd mister PSV.* Uitgeverij Voetbal International, Gouda, 2011.

Meerdere auteurs: *Faas wordt tachtig. Hard Gras 33.* Uitgeverij L.J. Veen, Amsterdam, 2002.

Meijer, Maarten: *Dick Advocaat. De grote droom van de Kleine Generaal.* Uitgeverij Tirion Sport, Utrecht, 2009.

Neve, E.K.A. de: *Koning Voetbal.* Uitgeverij A.C. Nix & Co., Bandoeng, 1938.

Onkenhout, Paul: *Terug naar Sportweg 8.* Uitgeverij Nieuw Amsterdam, Amsterdam, 2009.

Pieters Graafland, Eddy & Herman Kuiphof (red.): *Onder de lat.* Uitgeverij Meander, Leiden, 1967.

Scheepmaker, Nico: *Cruijff, Henrik Johannes, fenomeen.* Uitgeverij De Boekerij, Baarn, 1972.

Scheepmaker, Nico: *Het krankzinnige kwartiertje.* De Gooise Uitgeverij, Bussum, 1978.

Schots, Mik: *Rep. Een roerig (voetbal)leven.* Uitgeverij Sporthuis, Amsterdam, 2010.

Simpson, Paul & Uli Hesse: *Who invented the stepover? And other Football Conundrums.* Profile Books, Londen, 2013.

Verkamman, Matty: *Oranje toen en nu. Deel 1.* Uitgeverij Premium Press, Weert, 2001.

Verkamman, Matty: *Oranje toen en nu. Deel 2.* Uitgeverij Strengholt's boeken, Naarden, 2002.

Verkamman, Matty: *Oranje toen en nu. Deel 4.* Uitgeverij de Buitenspelers, 2004.

Verkamman, Matty & Taco van der Velde: *Oranje toen en nu. Deel 5.* Uitgeverij de Buitenspelers, 2005.

Verkamman, Matty & Taco van der Velde: *Oranje toen en nu. Deel 6.* Uitgeverij de Buitenspelers, 2006.

Verkamman, Matty & Taco van der Velde: *Oranje toen en nu. Deel 7.* Uitgeverij de Buitenspelers, 2007

Verkamman, Matty & Taco van der Velde: *Oranje toen en nu. Deel 8.* Uitgeverij de Buitenspelers, 2008

Verkamman, Matty & Taco van der Velde: *Oranje toen en nu. Deel 9.* Uitgeverij de Buitenspelers, 2009

Verkamman, Matty & Jaap Visser & Henk Hoytink: *Oranje toen en nu. Deel 10.* Uitgeverij de Buitenspelers, 2010

Vos, Maarten de: *De slag om het voetbalgoud.* Uitgeverij Boom Ruygrok, Haarlem, 1974.

Vos, Maarten de: *De Ajacieden.* Uitgeverij De Boekerij, Baarn, 1971.

Voskuil, Bert: *Marco van Basten. Zijn voetballeven.* Uitgeverij Het Spectrum, Utrecht, 1995.

Waerden, Kees van der: *Toen football voetbal werd. Taal en cultuur van het oervoetbal in Nederland.* Uitgeverij Sylfaen, Nijmegen, 2010.

Wessem, Jurriaan van: *Midzomernacht in Hamburg*. Uitgeverij Tirion Sport, Baarn, 2004.

Wilson, Jonathan: *Inverting the Pyramid. A History of Football Tactics.* Orion Books, Londen, 2008.

Wilson, Jonathan: *The Anatomy of England. A history in ten matches.* Orion Books, Londen, 2010.

Winner, David: *Het land van Oranje. Kunst, kracht en kwetsbaarheid van het Nederlandse voetbal.* (Nederlandse vertaling van *Brilliant Orange. The Neurotic Genius of Dutch Football*). Uitgeverij Bert Bakker, Amsterdam, 2001.

Zwartkruis, Simon: *Clarence Seedorf, de Biografie.* Uitgeverij Houtekiet, Amsterdam, 2003.

KRANTEN

De Telegraaf, Nieuwe Rotterdamsche Courant, De Maasbode, Haagsche Courant, De Tijd, Algemeen Handelsblad, Trouw, de Volkskrant, Nieuwsblad van het Noorden, Het Vrije Volk, Het Parool, Trouw, NRC *Handelsblad, De Tijd/Maasbode.*

TIJDSCHRIFTEN

De Revue der Sporten, Sportkroniek, Voetbal International, Sport International, Elf, Morks-Magazijn, Sportief, Johan, Hard Gras, Half 3, Esquire.

WEBSITES

Historici.nl
Wikipedia.nl
Voetballegends.nl
Kicksmit.com
Delpher.nl
Wedstrijdhistorie.nl
Youtube.com

WEDSTRIJDBEELDEN

Nederland – Duitsland 1935; Nederland – Luxemburg 1940; Engeland – Nederland 1946; Frankrijk – Nederlandse Profs 1953; Nederland – Luxemburg 1963; Nederland – Bulgarije 1969; Nederland-Zweden 1974; Argentinië – Nederland 1978; Ierland – Nederland 1983; Nederland – Sovjet-Unie 1988; Nederland – Brazilië 1998; Ierland – Nederland 2001; Nederland – Tsjechië 2004; Nederland – Spanje 2010.

Bij de productie van dit boek is gebruikgemaakt van papier dat het keurmerk Forest Stewardship Council® (FSC®) draagt. Bij dit papier is het zeker dat de productie niet tot bosvernietiging heeft geleid. Ook is het papier 100 procent chloor- en zwavelvrij gebleekt.